続続・理事長の部屋から

はじめに

花にはとっておきの顔があります。秘められた素顔とでも云うのでしょうか、愛らしく、時には微笑ましい顔です。美しい花にはもとより、道端でひっそり咲く目立たない花にもあります。漫然と眺めていては気が付かないのですが、何度も何度も近寄って、しげしげ見詰めていますと、ある瞬間、ハッと驚かされる素顔に出会います。

例えば、郊外の野に咲く花を撮影するとします。私は少なくとも10回、多い時には20回以上現地へ足を運び写真を撮ります。休日に数回行くこともあれば、週日には数日に1回しか行けないこともあります。しかも花の盛りのうちに撮らねばならず、天気の悪い日は撮影に向きませんので、時間的な余裕はありません。とにかく何度も出掛けて行っては撮影するのです。しかし、どんな美しい花を撮っていても、最初のうちは面白くも何ともありません。いろいろ工夫して撮るのですが、出来上がった写真は平板で、ただ美しい花が写っているだけなのです。退屈で感動がありません。「この花のどこが面白いのだろう？」と首をかしげてしまいます。しかし、それでも我慢して、朝、昼、夕、晴れた日、雨の日、風の日など、同じ花をファインダー越しに何度も何度も眺め、いろいろな方向から写真を撮り続けます。そして撮影した膨大な数の写真を、パソコンの画面上でコマ送りして繰り返し眺めます。花の顔や表情は光の当たり方や角度、周囲の環境などにより変化します。その微妙な変化を見続けていますと、ある瞬間、驚くべき表情に出会うことがあります。「あれ？この花はこんな顔をしていたのか！」と・・・。花の素顔とでもいうべきものでしょうか、とっておきの顔です。それまでは、よそよそしくて素っ気なかった花が、突然、予想もしなかった愛らしい素顔を現わします。すると俄かにその花に親しみが湧いて身近な存在となり、もっともっと写真を撮りたい、素顔に迫りたいと思うようになります。それ以後は、花と向き合って楽しく対話するかのように夢中で写真を撮り続けます。ここまで来て初めて、花の写真を撮ることの面白さ、楽しさを感じるようになります。この体験は、素人の私にとって驚きでした。プロの写真家であればさらに深い境地をめざすのでしょうが、アマチュアでも到達できる写真術の極意の一端に触れたような気がしています。

しかしよく考えてみれば、長年かかって到達した私のこの境地、会得した極意のようなものは、私達人間社会において、あらゆることに通じるのではないでしょうか。ある人に出会った時、その人の表面しか見ないと、相手に興味を感じることはなく、付き合いは始まりません。相手の懐に飛び込み、深く理解できるようになって、初めて親しみが湧き友人になれるのです。世界中の人々が、お互いに深く理解し合うことができれば、戦争は起こらないでしょう。仕事においても同じです。仕事そのものを深く理解できなければ興味が湧かず、仕事は進まないでしょう。還暦を過ぎた頃に始めた花の写真撮影、古希を迎えてようやく、その面白さ、深遠さを知りました。

こうしてこの10年間、訳の分からぬまま手探りで、多数の花の稚拙な写真を撮り続けて参りました。それに妻のイラストを添え、これもまた拙い文章で綴ったブログを、平成22(2010)年1月より三重大学病院のホームページで月1回の連載として始め、6年半前に桑名市総合医療センターへ転勤となってからも続けて現在に至っています。さらに三重大学出版会の濱森太郎先生のご指導により、毎月のブログを約2年ごとにまとめて随想集として出版し、既に4冊となりました。本書は5冊目で、平成30(2018)年4月から令和元(2019)年12月までの桑名市総合医療センターのホームページで連載したブログ21編を収載しています。ちょうど桑名市総合医療センターの新病棟が開院してから2年ほどの間です。開院早々の新病棟の稼働状況―いろいろな混乱もありましたし、経営上困難を極めた時期もありました―や、張り切って働く医師や看護師、コメディカルや事務職員たちの活躍ぶりも併せて記載されています。相変わらずの拙い出来でお恥ずかしいばかりではございますが、ご一読いただけましたら幸甚に存じます。

なお植物名の表記は、従来通り、日本古来の植物は「ひらがな」または漢字で、外来種はカタカナとしました。また植物学的な記載はカタカナで統一しました。

本書の出版に向けて編集や校正などの作業に追われていた頃、世の中は新型コロナウイルス感染の拡大で騒然となっていました。令和2(2020)年冬、中国に始まり、韓国、日本、欧州、米国などを経て世界の約200か国へ拡散した新型コロナウイルス感染、感染者は400万人にもせまる勢いで、死亡者も25万人を超えました(5月10日現在)。日本でも感染者は1万5千人を超え、6百人を超える方が亡くなられています。3月16日に全国に向けて発令されました緊急事態宣言も、5月31日まで延長されました。私たちが今までに経験したことのないこの感染症が、一日も早く収束することを願って止みません。このようなたいへんな時期に、本書刊行のために懇切丁寧なご指導とご協力を賜りました三重大学出版会の濱森太郎先生、船原美和子様に、改めて深謝申し上げます。

令和2年5月10日

竹田　寛

恭子

目　次

平成３０年
（２０１８年）

４月： 早咲き桜

―早春の冬景色に春を呼ぶ赤桃色の花盛り―

穏やかな早春の陽を浴びてほころぶ河津桜

今年の冬はほんとうに寒かったですね。西日本では32年ぶりの寒さだったそうです。ペルーやエクアドル沖合いの東太平洋で海面水温が平年より低くなるラニーニャ現象の影響だそうですが、全国各地で大雪となり甚大な被害が発生しました。特に１月下旬から２月上旬にかけては気温が低く、三重県でも最低気温が氷点下の日が続きました。例年は戸外のベランダで元気に冬越しをする我が家のクンシラン（君子蘭）の鉢植えも、今年は寒過ぎて葉が全部枯れました。気温が氷点下になると耐えられないのでしょうか。慌てて室内に入れて暖かくしてやりましたが、するとすぐに緑の若葉が伸び始め、朱色の花芽も伸びてきました。君子蘭は強い植物です。何年か前にも雪を被って葉が枯れてしまいましたが、春になると見事に生き返り、若葉がどんどん伸びて来て、枯れる前より立派な姿になったことがありました。枯れても安心して見ておれる植物なのです。

いよいよ桑名市総合医療センターの新病棟が4月に開院します。ここ3か月休載していました理事長の部屋も今月から再開です。何の花にしようかと考えていましたところ、新病院の開院を祝うのだから、やはり桜が良いだろうということになりました。しかし記事を書くのは3月ですので、染井吉野や山桜などの代表的な桜は、まだ咲いていません。そこで 3 月に咲く桜、早咲き桜にスポットを当てました。

南伊勢町河村瑞賢公園へ昇る坂道の斜面に沿って咲く河津桜の群

3 月上旬、南伊勢町の河津桜が満開だと聞いて車で出掛けました。朝からよく晴れて早春の明るい陽光が嬉しい日でした。しかし冷たい風が強く吹き、体感温度は実際の気温よりも低く感じます。午後遅く南伊勢町へ入りますと、さすが南国、常緑樹の葉の緑が鮮やかで、青い海と美しいコントラストを呈します。風も弱まり何となく景色が穏やかで和らいで見えます。南伊勢町は、江戸時代に海運と治水で功を成した河村瑞賢（1618-1699 年）の生誕の地で、郊外に彼の像の立つ小さな公園があり、その近くにたくさんの河津桜が育っています。公園は小高い山の中腹にあり、そこへ登って行く「く」の字型に

枯草と枯れすすきの冬の野に咲く満開の河津桜

冬木立の向こうには赤紫色の花盛り

折れ曲がった坂道の斜面に、たくさんの河津桜が育っていて、ちょうど満開で、まさに赤桃色の花盛りです。20～30 本ほどあるでしょうか。どの木の花もすべて開き切って、しかも花びら一枚として落ちない、まさに今が満開の絶頂期です。風のない穏やかな早春の午後、暖かくなり始めた陽の光を静かに楽しんでいるようです。しかしよく見ますとあたりはまだまだ冬景色です。樹々の根元には取り残されたように枯草が群れ、枯れすすきが穂を垂れます。まだ新芽の目立たない樹々は冬木立そのもので、黒く鋭いシルエットを描きます。そんな中でひときわ鮮やかに輝く赤桃色の花盛り、早く春を呼ぼうとしているのでしょうか。

3 月の声を聞きますと、三重大学の構内では濃い赤桃色の桜が咲きます。カンヒサクラ（寒緋桜）あるいはヒカンサクラ（緋寒桜）とも呼ばれる桜で、中国南部から台湾、沖縄などに広く分布し、三重大学生物資源学部名誉教授の永田洋先生が、沖縄から苗を取り寄せて植えられたものです。大学構内の真ん中に 3 本ほど植えられ、毎年 3 月になりますと鮮烈な赤桃色の花をいっぱい咲かせて、まだ冬景色の大学構内を明るくしてくれます。

三重大学構内に咲く寒緋桜

寒緋桜の花は釣鐘状にしか開かず、枝に沿って連なるように咲きます

ほぼ満開の河津桜。菜の花の黄色と見事に調和しています

3 月も半ばになりますと、少しずつ暖かくなって来ます。特に今年は、あの冬の寒さは何だったのだろうかと思うぐらい、急に気温が上がり 4 月上旬並みのポカポカ陽気となりました。すると桑名市内の寺町通りやなばなの

里でも河津桜が咲き始めました。そこで良く晴れた暖かい日の午後、なばなの里へ行ってみました。私達は初めて入園しましたが、園内は意外と整然としていて落ち着いた雰囲気です。園の中央にある大きな池の周囲を取り囲むようにたくさんの河津桜が植えられていて、7～8 分咲きというところでしょうか。風の無い穏やかな午後で、菜の花の黄色と静かに調和するように赤桃色の花を咲かせています。園内には、他にサンシュユや大輪ミツマタなどの黄色い花が満開です。春先には黄色の花が多いと云われますが、黄色は昆虫を集めやすい色だからだそうです。

青空にサンシュユの鮮やかな黄色が美しく映えます

宮崎県の椎葉地方に伝わる民謡「ひえ（稗）つき節」は全国的に知られ、年配の方ならご存知の方が多いと思います。稗をつくときに歌われた仕事歌で、壇ノ浦の合戦で敗れて椎葉村に逃れ住み着いた平家の落人の娘鶴富と、追討に来た源氏の武士那須大八との悲恋を詠ったものです。歌い出しの有名な詞「庭のサンシュの木　鳴る鈴かけてよ・・・」のサンシュはこのサンシュユのことかと思っていましたが、どうやらサンショウ（山椒）の木が正しいようです。青空に黄色く映えるサンシュユは、ミズキ目ミズキ科の落葉小高木。早春の庭先でよく見掛けます。中国から朝鮮半島が原産で、江戸時代

に日本に伝わりました。春先、葉の出る前に黄色の花をたくさんつけることから「ハルコガネバナ」、秋になると赤い実を付けますので「アキサンゴ」とも呼ばれます。温めた牛乳にサンシュユの枝を入れておくとヨーグルトができるそうですが、ほんとうでしょうか？

コウゾと並んで和紙の材料となるミツマタはジンチョウゲ科ミツマタ属の低木。春先に淡黄色の花を咲かせます。枝が三本に分枝することから、この名がつきました。写真は大輪ミツマタ。

最近、紀伊半島南部で桜の新種が発見され話題になっています。森林総合研究所の勝木俊雄博士らのグループが 2016 年より南紀地方の各地に咲く桜の調査を続けて来て発見に至ったもので、桜の新種の発見は実に約 100 年ぶりとのことです。熊野地方に分布しますので、仮称ですが「クマノザクラ (熊野桜)」と名付けられています。

熊野桜の花（岡八智子さん撮影）

日本の桜の分類を考える際、野生種とソメイヨシノ（染井吉野）に代表される園芸種に分けることが大切です。野生種には、ヤマザクラ (山桜)、オオヤマザクラ、カスミザクラ（霞桜)、オオシマザクラ (大島桜)、エドヒガン (江戸彼岸)、チョウジザクラ、マメザクラ、タカネザクラ、ミヤマザクラの 9 種と、沖縄に分布するカンヒザクラ（寒緋桜）を加えて 10 種あるとするのが一般的です。11 番目の野生種が見つかったということになるのですが、どのような特徴を持っているのでしょうか。

もともと熊野地方には、山桜と霞桜が生育していました。熊野桜も両者に似た性質を有しますが、異なる点も幾つかみられます。まず類似点ですが、左の熊野桜の花の模式図をご覧ください。

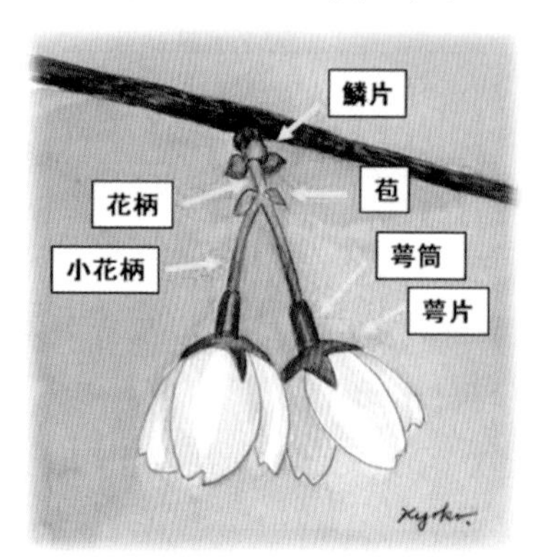

熊野桜の花の構造

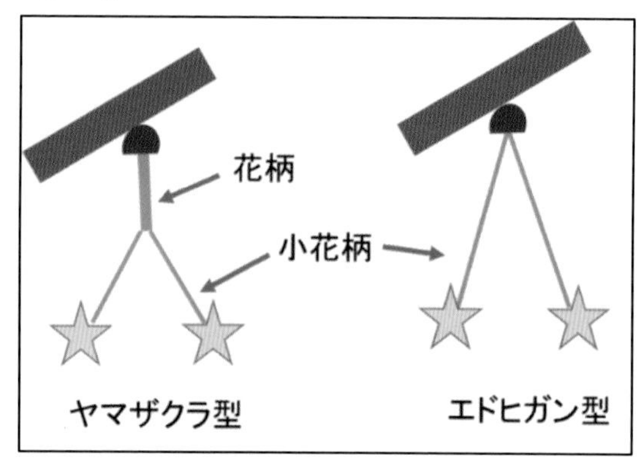

桜の花の花柄と小花柄の関係

花の付け根から伸びる細い軸を小花柄、それらを束ねる軸を花柄と呼びます。桜の野生種のなかで花柄が認められるのは、山桜、霞桜、大島桜だけですが、熊野桜にも短いながら花柄があります。一方、江戸彼岸には花柄はありません。相違点は、開花時期と葉の形態です。熊野桜の開花は3月中旬から4月上旬で、山桜の4月中旬に比べ明らかに早く、霞桜はさらに遅いそうです。この地方で染井吉野の咲く前の 3 月中頃に咲いている桜を見たら、まず熊野桜と考えて良いそうです。

次に熊野桜の葉は、山桜や霞桜に比べ一回り小さく、形態的にも幾つか相違があります。熊野桜には、箒を逆さにしたケヤキのような樹形を示すものもあり、かなりの大木にもなるようです。花の少ない 3 月に、多数の細く長い枝いっぱいに白から淡桃色の花を咲かせる熊野桜は、観賞用としてもすぐれ、早春の熊野観光の目玉になるのではないでしょうか。

早咲きの桜達は、3 月上旬、まだ冬景色のうちに咲き始め、やがて暖かくなって菜の花やサンシュユ、ミツマタなどの黄色い花々と饗宴します。さらに暖かくなりますと、黄色の花の連鎖は「れんぎょう」やタンポポに引き継がれ、染井吉野や山桜の咲く春本番を迎えます。

さて桑名市民の皆様待望の桑名市総合医療センターの新病棟がいよいよ開院し、5 月 1 日より外来診療が始まります。ほんとうに長い時間がかかりましたが、この間終始ご支援をいただきました皆様方に改めて深く御礼申し上げます。

新病院の主な特徴について概説致します。

- ■ 新病院は入院棟（10 階建）と外来棟（5 階建）から成り、両棟を上空通路で連絡します。新入院棟の病床数は 321 床ですが、平成 30 年末に完成予定の改修棟に 79 床が開設され、計 400 床になります。1、2 階はほとんど駐車場で、津波などの災害に備えます。
- ■ 入院棟では、3、4、5 階は手術室や検査室、救急病床、6 階は産婦人科と小児科病棟ですが、新生児センターなどを拡充して周産期や新生児医療に力を入れます。7 階から 9 階の一般病床は、臓器別にセンター化された配置になります。例えば脳卒中センターでは、脳神経外科医と脳神経内科医が一緒になって脳卒中などの患者さんを診ることにより、より精度の高い効率的な診断と治療が可能になります。同様に循環器センターや消化器センターも設置され、さらにリウマチや腎臓病などの慢性疾患の診療にも力を入れます。

- 常勤医師数は当初より 40 名ほど増えて約 110 名になり、診療機能が拡充されます。
- 近隣の医療機関や診療所と協力し合いながら、桑員地区の急性期医療を担う中核病院としての役割を果たします。特に救急医療、周産期医療、小児の救急や慢性疾患の診療の充実に努め、災害拠点病院、地域医療支援病院の認定をめざします。
- 桑員地区で初めて導入される放射線治療や核医学診断装置、さらに高精度の MRI 装置など最新鋭の高度医療機器を最大限活用し、「がん」の治療や脳卒中、認知症、心筋梗塞などの診療の向上に努めます。
- 患者給食の改善やがんサロンの充実、診察までの待ち時間の短縮など、患者さんが安心して療養できるように院内環境の整備に努めます。
- 三重大学医学部附属病院と新たな人事交流制度を締結するなど緊密な連携を保ち、相互のスタッフの教育や診療レベルの向上に努めます。

ようやく完成した桑名市総合医療センターの新棟
（手前が外来棟、奥が入院棟）

5月：桜

—かすみか雲か、束の間の桜狂騒曲—

団地の縁の斜面に立つ満開の染井吉野

今年の桜は、実に慌ただしかったですね。つぼみが膨らみ始めたかと思ったら、あっという間に満開になり、いつの間にか足早に散って行ったような気がします。それも西日本から東日本まで、日本海側の地方を除いてほとんど時間差なく、いっせいに咲いていっせいに散って行きました。三重県内でもそうです。桑名でも津でも伊勢でも、同時に満開となりました。早くから今月は「桜」にしようと決めていましたので、あちこちでいっせいに満開となった桜に、驚き焦りました。どれもこれも一番美しい時に写真を撮りたいと欲張ったからです。時間に追いたてられるようにして走り回りました。

しかし焦るせいでしょうか、じっくり落ち着いて写真が撮れず、思い描いていたようには撮れません。すると他の桜が気になります。「去年あそこの桜が綺麗だったから行ってみよう」と急いで駆けつけますと、既に散り始めています。そこでまた元の桜に戻りますと、こちらは葉桜になっています。そんなことの繰り返しで、終わってみれば満足な写真も撮れず、気もそぞろだけの一週間でした。新病院の開院を目前に控えた大切な時に、桜のことばかり考えていて・・・という後ろめたい気持ちもありましたが、仕方ありません。余りにもいっせいに見事な満開となり、そして一気に散って行った今年の桜ですから。時の過ぎゆくのが惜しまれました。まさに在原業平の心境です。

世の中に　たえて桜の　なかりせば　春の心は　のどけからまし

それにしても満開の桜は何と美しいのでしょうか。ふくよかで気品があって、見るものを圧倒するような迫力があるのに、決して自己主張や自己顕示が強い訳ではありません。控え目でいながら確乎とした存在感があります。殊に樹齢何百年と云う古木や名木には、何とも言えない風格があり、洗練された美しさがあります。長い年月をかけて太くなった幹や曲がりくねった枝が創り出す樹形には、老成したもののみが有する無駄のない調和があります。そこに毎年、嘘のように若々しく清純な淡い桃色の花がいっぱい咲くのです。この好対照、生命の神秘を感じます。しかしそのような特別な桜でなくても、私達の周りには、どれも十分に美しい桜がたくさん咲いています。単独で咲いていても、群れになって咲いていても、どの木もほんとうに美しいのです。名もない桜ですが、静かに穏やかに咲いています。

若い頃私は友人や職場の同僚達とよく花見に出かけました。酔いが回って来るうちに談笑する声は大きくなって来ます。そんな時、ふとライトアップされた桜を見上げますと、「桜は酔ってないなあ、笑ってないなあ」と感じました。「私達が気分良くなっているのだから、桜も一緒に喜んでくれても良いのになあ」と思いましたが、桜たちは我々の饗宴をよそに平然としています。拒絶することなく受け入れることもなく、ただ超然と落ち着いているのです。その不思議、花見に行く度に酔っ払って朦朧とした頭で、いつも考えたものでした。

ここで高校時代に習った三好達治の詩を思い出しました。

甃（いし）のうへ

三好　達治

あはれ花びらながれ
をみなごに花びらながれ
をみなごしめやかに語らひあゆみ
うららかの跫音（あしおと）空にながれ
をりふしに瞳（ひとみ）をあげて
翳（かげ）りなきみ寺の春をすぎゆくなり
み寺の甍（いらか）みどりにうるほひ
廂（ひさし）々に
風鐸（ふうたく）のすがたしづかなれば
ひとりなる
わが身の影をあゆまする甃（いし）のうへ

3 月 28 日午前 10 時頃撮影

3 月 30 日午前 7 時頃撮影

上の写真は、自宅の近くにある小高い丘の上に立つ山桜の満開の様子を、下から見上げて撮影したものです。左はほぼ満開になった直後、右はその 2 日後に撮影したものですが、同じ満開でも、日が経つに連れて見え方が変わって来ます。満開となった直後には、まだ花が完全に開き切っていないのか、あるいはつぼみもたくさん残っているのか、全体に量感に乏しく、花や枝の隙間から青空が透けて見えます。しかし 2 日経ちますと、桜の花の群は枝ごとに膨らみ、全体としてふっくらとしてボリューム感が増しています。満開の桜のふっくらとした量感、これは他の木には見られないように思われます。

今年は桜の咲き始めた3月22日から4月4日までの14日間、晴天が続き気温も高かったものですから、桜の花は一気に満開になり、あっという間に散ってしまいました。上の写真は4月3日に撮影したものですが、前日より気温が上昇し夏日近くにまでなりました。小川に沿って大小の桜が並んで咲いていますが、空はよく晴れて雲一つないのに、白っぽく見えます。満開の桜も、橋を渡る自転車の人もぼんやり霞んでいます。遠くの山もほとんど見えません。私は黄砂が飛んで来たのかと思いましたが、ニュースではそのような報道はありませんでした。春霞（はるがすみ）のようです。春霞とは、春に霧（きり）や靄（もや）などによって景色がぼやけて見えることで、大気中の水滴が原因と云われています。視界が1km未満であれば霧、それ以上の場合を靄と云います。原因はいろいろあるようですが、急激に気温が上がったために発生したのでしょうか。気温の上昇により地表付近の水分が温められ水蒸気となって上昇し、上空の冷気で冷やされて霧や靄になるものと考えられます。

翌４日には、松阪市の郊外にある山麓へ出掛けました。例年このあたりの山々では、春になりますと新緑の芽吹き始めた山肌に、うす桃色の満開の桜が点在し、実に美しいのです。それで今年も行ってみたのですが、ここでも桜は早くから咲き始めたようで、既に半分以上散っていました。この日はとうとう最高気温が 25 度を上回り夏日となりました。上の写真をご覧ください。桜はまだ何本か咲いていますが、空は真っ白で色とりどりに美しいはずの山肌もぼんやりと霞んでいます。春霞のせいです。右の写真は、山腹にある満開の桜の木をズームで撮影したものです。ぼんやり霞んだ満開の桜の奥に小さな社があり、幻想的な情景となっています。

翌朝、霞が晴れましたのでもう一度訪ねました。昨日とは打って変わって、空は真っ青で山肌の緑や黄緑のモザイク模様がくっきり見えます。近くのお寺の境内には、無縁仏でしょうか、たくさんの墓石が積み上げられていて、そのてっぺんには地蔵さんが何気ない顔をして立っていました。季節は春から初夏へと確実に移りつつあります。

例年であれば、せっかく桜が咲いても雨が降ったり寒の戻りなどで花冷えとなり、桜には気の毒な日も多いのですが、今年は記録的に晴天で高温の日が続いたため、春霞が見られたのでしょうか。ともあれ、せわしない桜狂騒曲の一週間でした。

霞と云えば、私達が小学生の頃、「かすみか雲か」と云う歌を習いました。明治時代前半、政府は音楽教育の西洋化を急ぐために、欧州各国から民謡などを輸入して日本語の歌詞を付け、文部省歌として小学校で歌わせました。今でも広く歌われている「蛍の光」（スコットランド民謡）や「庭の千草」（アイルランド民謡）などがその代表的な曲ですが、「かすみか雲か」も 1883 年（明治 16 年）にドイツ民謡を輸入したものです。

かすみか雲か

作詞　勝 承夫

かすみか雲か　ほのぼのと
野山をそめる　その花ざかり
桜よ桜　春の花

梶井基次郎の書いた「桜の樹の下には」という短編小説があります。満開の桜の美しさを、独特の表現で著わしたものですが、冒頭の「桜の樹の下には屍体（したい）が埋まっている！」という句は、一瞬ギョッとさせられますが有名です。小説の一部を引用します。

桜の樹の下には

梶井基次郎

桜の樹の下には屍体が埋まっている！
これは信じていいことなんだよ。何故（なぜ）って、桜の花があんなにも見事に咲くなんて信じられないことじゃないか。俺はあの美しさが信じられないので、この二三日不安だった。しかしいま、やっとわかるときが来た。桜の樹の下には屍体が埋まっている。これは信じていいことだ。

（中略）

いったいどんな樹の花でも、いわゆる真っ盛りという状態に達すると、あたりの空気のなかへ一種神秘な雰囲気を撒き散らすものだ。それは、よく廻った独楽（こま）が完全な静止に澄むように、また、音楽の上手な演奏がきまってなにかの幻覚を伴うように、灼熱（しゃくねつ）した生殖の幻覚させる後光のようなものだ。それは人の心を撲（う）たずにはおかない、不思議な、生き生きとした、美しさだ。

梶井基次郎（1901-32 年）は、明治 34 年大阪に生まれましたが、9 歳の時父の転勤で鳥羽市へ移住し、海のある自然の中で健康的な小学生時代を過ごします。13 歳で再び大阪へ戻り、大阪府の北野中学（現北野高校）へ進学しますが、梶井の兄弟らは祖母の患っていた結核に感染し、梶井自身も 17 歳の頃に発病します。その後旧制の京都三高へ進み、そこで生涯の友となる津市出身の小説家、中谷孝雄と知り合います。初めは理系志望でしたが次第に文学に傾倒して放蕩生活を続け、時には泥酔して暴力事件まで起こします。一度失敗した卒業試験も翌年には仮病を装って何とか合格し、東京大学文学部へ入学します。そこで同人誌「青空」を発行して、代表作である「檸檬」「城のある町にて」などの著作を発表しました。しかし結核は徐々に進行し、転地療法を繰り返しますが改善はみられず、27 歳の時に大学も辞めて大阪に戻り養生します。しかし病の進行は抑えられず 31 歳の若さで夭折しました。死の一年前、梶井の寿命の長くないことを案じた友人達の尽力により、初の創作集「檸檬」が刊行されますが、そのうちの一人が、「甃のうへ」を書いた詩人三好達治です。三好は「青空」の同人で、こんなところで梶井基次郎との結びつきがあるとは知りませんでした。

「檸檬」は三高時代の体験をもとに書かれた小説です。結核による微熱と放蕩生活の鬱屈に悩んでいた主人公は、瀟洒な八百屋で買った檸檬の冷たい感触と適度な重量感に、今まで経験したことのない快感を覚えます。その檸檬を巡って変化する意識や心理の流れを絵画的な表現も混じえて鮮明に描いています。

「城のある町にて」は、梶井が 23 歳の時、3 歳の異母妹を結核性脳膜炎で亡くしますが、その哀しみを癒すため松阪市の姉夫婦の家へ滞在した一夏の物語です。城の上から見はるかす松阪市の情景描写が素晴らしく、生き生きと描かれる姉夫婦や叔母、従妹、姪などの善良な人達の日常が、結核を病み都会生活に疲れた主人公の心を癒します。

梶井基次郎は、作家としての活動時間は短く作品の数も多くありませんが、その短編の数々は日本文学史上極めて貴重なものとして、今でも高い評価を受けています。

三島由紀夫の梶井基次郎評を引用致します。

いかなる天変地異が起こらうが、世界が滅びようが、現在ただ今の自分の感覚上の純粋体験だけを信じ、これを叙述するといふ行き方は、もしそれが梶井基次郎くらゐの詩的結晶を成就すれば、立派に現代小説の活路になりうる。

―三島由紀夫「現代史としての小説」―

学生時代、私は梶井基次郎が好きでした。その時購入した全集が今でも本棚の片隅に残っています。表紙はすっかり変色していますが、青春の思い出が籠った大切な全集です。若くして結核に斃（たお）れた梶井基次郎は、珠玉の短編を残して桜のように散って行ったのかも知れません。

さて病院の話題です。前回は新病棟の概要について記しましたので、今回は新入院棟を少し詳しく紹介致します。

■ **1、2 階は駐車場です**

放射線治療室、核医学検査室以外はほとんど駐車場で、災害時の浸水に備えます。

■ **3 階にあるエントランス・ホールが起点です**

来院された方は正面玄関横にあるエレベーターにより 3 階エントランス・ホールまで上がっていただきます。そこには総合受付があり、また患者さんの他院との紹介や逆紹介などをお世話する地域医療センター、入院時に必要な手続きを行う入院センターなどが配置されています。さらに近くには、茶室やコンビニもあります。また 3 階には、入院棟、上空通路、外来棟をほぼ直線的に貫通する太い廊下（ホスピタル・スパイン）が設置されていて、患者さんや職員は、ここを通って外来棟や手術室、検査室、入院病室などを行き来します。

■ **3、4 階では様々な検査を受けることができます**

CT や MRI 検査を受ける放射線部、胃カメラや大腸ファイバー検査などを行う光学医療診療部、血液検査や心電図検査などを担当する検査部などが入ります。

■ **救急患者さんは 3 階の救急外来へ来ていただきます**

さらに入院が必要であれば、専用のエレベーターにより 5 階の救急病床へ運ばれます。

■　5階には重症患者さんを管理する重症病床が配置されています

同じ階に手術室と救急病床がありますので、大きな手術を受けた後の患者さんや、重症の救急患者さん、あるいは入院中に状態の急変した患者さんらを管理します。

■　6階は周産期、小児、女性病棟です

産科・周産期科、小児科が入り、ほかに婦人科や乳腺外科などの女性患者さんが入院できる病棟です。また周産母子センターでは、小児科医と周産期科医が力を合わせて重症の胎児や新生児の治療に当たります。

■　7階から9階は一般病床で、病棟配置は臓器別センター化となります

北と南病棟に分かれ、それぞれ40床から成ります。循環器内科と心臓血管外科が入る循環器センター、消化器内科と消化器外科、口腔外科が一緒の消化器センター、脳神経外科と脳神経内科が入る脳卒中センターなど、臓器別にセンター化された配置となります。このように心筋梗塞や脳卒中、消化管出血などの患者さんを内科医と外科医が一緒に診ることにより、迅速で適切な診断と治療が可能となり、救急患者さんにも十分対応できるようになります。また整形外科と膠原病リウマチ内科が入る病棟や腎臓内科はじめ他の病棟においても、急性や慢性疾患の治療に力を注いでいきます。

入院棟

階	北病棟(N) 40床			南病棟(S) 40床	
9階	整形外科・膠原病リウマチ内科		泌尿器科	脳卒中センター	眼科、耳鼻科、脳神経内科
8階	消化器センター（内科）			消化器センター（外科）	口腔外科
7階	循環器センター（循環器内科・心臓外科）（呼吸器内科、外科）			腎臓内科	一般内科
6階	産科・周産期科		周産母子センター	小児科・女性病棟	乳腺外科・内科・その他
5階	重症病棟（ICU）（SCU）（HCU）			手術室	救急病床
4階	エントランスホール	コンビニ	検査部	薬剤部	給食
3階		地域医療センター・入院センター	光学医療診療部	放射線部	救急外来
2階	駐車場			核医学診断装置	駐車場
1階	駐車場			放射線治療装置	駐車場

エレベーター・ホール

ホスピタル・スパイン

空中通路を介して外来棟へ

6月：野ばら（野いばら）

—シューベルトとヴェルナー、どちらがお好き？—

満開に咲き匂う野いばらの大きな木

前号で今年の桜は早かったと書きました。あっという間に満開となり、あっという間に散っていきました。4 月上旬、晴天が続き気温も高かったからです。その後街中では「つつじ」や花みずきなどの街路樹の花が、また郊外の田園や野原では「たんぽぽ」「れんげ」「ハルジオン」などの花がいっせいに咲いては次々に消えていきました。初夏の街路を鮮やかなピンク色に飾る昼咲桃色月見草も、今年は咲くのが早かったように思います。今年はどの花も開花が早いのです。そんな中、密かに花の咲くのを待っていた植物がありました。野いばら（ノイバラ）です。毎年いろいろな所で咲いているのを見かけるのですが、気の付いた頃には盛りを過ぎていて花が枯れたようになっています。野いばらの花は、開花するとまもなく黄色い「おしべ」が黒く変色し、花びら（花弁）も傷みやすいのです。ですから今年こそは、咲き始めの美しい頃の写真をしっかり撮ってやろうと待ち構えていたのです。しかも今年は花の咲くのが早かったものですから、余計注意して目配りしていました。野いばらと云えば、もちろん野原にも見られますが、多いのは水辺です。通勤の近鉄電車の車窓から眺めていても、河川敷や池、用水路の畔などに、こんもり咲いているのをよく見掛けます。眩しくなり始めた初夏の太陽の下、額に汗の滲んで来るのを感じながら散歩している時、ふと水辺に咲く白い野いばらを見かけますと、如何にも涼しげで夏の訪れを実感します。

美しく咲き揃った白い野いばら
蕾は桃色です

野いばら（野茨、ノイバラ）はバラ科バラ族の植物で、日本全国の河原や野山でよく見られます。ご承知の如くバラには多数の園芸種がありますが、数少ない野生種であり、単に「野ばら」とも呼ばれます。ヨーロッパの野ばらは赤い花が多いのかも知れませんが、日本の花はほとんど白です。

野いばらの花は 5 枚の花弁からなり、中央に淡い緑色の「めしべ」が 1 本、その周りにはたくさんの「おしべ」がひしめき合っています。

開花したばかりの頃の「おしべ」は、頂部にある葯も、それを支える花糸も柔らかな黄色をしていて、白い花弁とうまく調和して美しいのですが、「おしべ」の葯はすぐに黒褐色に変化し枯れたようになります。美しい写真を撮るには葯の変色する前に写真を撮らねばならず、タイミングが大切です。

葉の基部や茎には対になって突出する鋭い棘（とげ）があり、子供の頃に刺された人も少なくないと思います。「茨の道をゆく」という言葉をよく耳にしますが、茨の繁る道を棘に刺されながら歩き続けるように、困難な道を進むということです。

秋になると小さな赤い果実をつけます。

茎や葉の根元にみられる鋭い棘

昨秋実った果実が残っていました。

　ところで花弁は白ですが、蕾の色はどうでしょうか。花びらが白ですから当然蕾も白で、確かに白い蕾を良く見かけます（写真上）。ところが下の写真のように、花びらは純白なのに、蕾は濃い桃色をしています。蕾の時は赤く、開花すると白い花になるのです。面白い現象ですが、同様の変化をする植物は、幾つかあるようです。私が実際観たものは、秋に咲く小菊と、5月頃の里山に群れて咲くハルジオンです。色の変わる機序としては、蕾の時に作られていた赤い色素が開花するにつれ作られなくなるか、あるいは開花により赤色素が薄められるからだとも云われます。「あの可愛かった赤ちゃんが、いつの間にか色白美人になって！！と驚かされるようなものでしょうか。しかし美しい黄色の「おしべ」はすぐに茶褐色になって、老けるのも早そうですね。

蕾が白色の「野ばら」

桃色の赤ちゃん蕾が色白美人になって、そしてすぐ・・・。

深紅の蕾から真っ白な小菊が咲きます

桃色の蕾が可愛いハルジオン

一方、蕾が赤くて開いた花弁も淡い桃色をしている花もあります。すると白と桃色の花が入り混じり、白一色の清楚な野ばらよりも、いっそう艶やかになり、魅惑的になります。

野ばらといえば、何と言ってもシューベルトやヴェルナーの作曲した歌曲「野ばら」が有名ですね。詞はドイツの文豪ゲーテによるものです。

野ばら

ゲーテ作詞　近藤朔風訳詞　シューベルト作曲

1　**童（わらべ）は見たり　野中のばら**
清らに咲ける
その色愛（め）でつ　あかず眺む
紅（くれない）におう　野中のばら

2　**手折（たお）りて行かん　野中のばら**
手折らば手折れ
思い出ぐさに　君を刺さん
紅におう　野中のばら

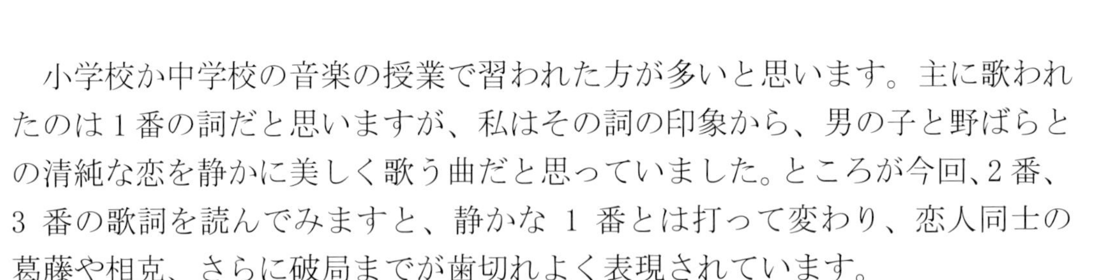

3　**童は折りぬ　野中のばら**
折られてあわれ
清らの色香（いろか）　永遠（とわ）にあせぬ
紅におう　野中のばら

小学校か中学校の音楽の授業で習われた方が多いと思います。主に歌われたのは1番の詞だと思いますが、私はその詞の印象から、男の子と野ばらとの清純な恋を静かに美しく歌う曲だと思っていました。ところが今回、2番、3番の歌詞を読んでみますと、静かな1番とは打って変わり、恋人同士の葛藤や相克、さらに破局までが歯切れよく表現されています。
男の子は野ばらを折ろうとします。すると野ばらは「折るなら折ってごらん。あなたが忘れないように棘で刺すから」と返します。しかし男の子はとうとう野ばらを折ってしまいます。哀れな野ばらは少し刺しただけで運命に従いますが、その清らかな美しさは永遠に褪せません。

ヨハン・ヴォルフガング・フォン・ゲーテ(1749-1832年)は、言うまでもなくドイツを代表する詩人であり、小説家、劇作家で、有名な作品に「若きウェルテルの悩み」「ヴィルヘルム・マイスターの修業時代」「ファースト」などがあります。私は高校時代、「若きウェルテルの悩み」を読んで興奮して眠れなくなるほど感動した覚えがあります。それまではややもすれば私小説的になりがちな日本文学ばかりを読んでいた私にとって、世界文学のスケールの大きさ、構想の豊かさ、あふれる情熱などに圧倒されました。話の筋はすっかり忘れましたが、読後 2、3 日は上気したままボーとして過ごしていたように記憶しています。まさに私に世界文学の面白さを教えてくれた入門書でした。

さてフランクフルトの裕福な家庭で育ったゲーテは、長じるに従い文学を志すようになります。16 歳でライプツィヒ大学法学部へ入学しますが、病気のため 3 年で退学します。21 歳の時、フランス領のストラスブール大学へ 1 年ほど遊学します。その時、近隣のゼーゼンハイム村に住む牧師の娘フリードリーケ・ブリオンと出会い、二人は恋に落ちます。都会の社交界で育ったゲーテにとって、豊かな自然の中で体いっぱいに喜びを感じる素朴な愛であり、この頃ゲーテは「五月の歌」に代表されるような自然と青春を謳歌する詩を創作しています。フリードリーケは結婚を望みますが、文学を志し将来を夢見るゲーテは束縛されることを嫌い、彼女を捨てて故郷へ戻ります。恋に破れたフリードリーケは、その後一生独身を貫いたそうですが、この恋愛を詩にしたのが「野ばら」です。ドイツ文学者の手塚富雄氏は名著「ドイツ文学案内」(岩波新書) の中で「可憐なフリードリーケを傷つけ捨てることになったこの恋愛の結末は、相手が純真そのもののような少女であったためにゲーテの罪悪感は強く、それへの懺悔がゲーテの一生を通じての制作のモチーフになった」と述べています。そのためゲーテの作品には、しばしばフリードリーケをモデルとしたような人物が登場するそうです。

シューベルト

ゲーテのこの詩に曲をつけた作曲家には、シューベルトとヴェルナーの他にもベートーベンやシューマン、ブラームスなどの大作曲家もいて、世界で 150 曲以上創られているそうです。

スランツ・ペーター・シューベルト(1797-1828 年)はオーストリアの作曲家で、歌曲集「冬の旅」や「魔王」、「ます」などのドイツ歌曲を多く作曲し、歌曲王と呼ばれていることはご存知の通りです。

一方のハインリッヒ・ヴェルナー(1800-1833年)はドイツ人の作曲家で、音楽教師や教会のオルガン奏者をしながら曲を作り、そのうち最も有名なのが野ばらです。二人はヴェルナーが 3 歳下の同年代、ともに 30 歳そこそこの若さで亡くなります。シューベルトの野ばらの初演は 1815 年、それから約 15 年後にヴェルナーが野ばらを発表しますが、楽譜には「シューベルトの影響の下に」と記されています。

ヴェルナー

中学時代、私にクラシック音楽の面白さを教えてくれた音楽の先生から、「シューベルトとヴェルナーの野ばら、どちらが好き？」と聞かれて答えられなかったのを覚えています。シューベルトの曲はリズミカルで躍動感があり、悲喜こもごもの感情を抑揚つけて歌うのに適しています。表現力に富んだ歌手が、大きな身振りで表情豊かに歌い上げる様が浮かんできます。一方ヴェルナーの旋律は静かに流れるようなメロディで、如何にもウィーン少年合唱団が清らかに美しく歌うのに向いているようです。確かに 1 番の清純な歌詞にはヴェルナーの旋律が合うように感じますが、2、3 番の詞のように少年と野ばらのやり取りをダイナミックに表現するには、シューベルトの曲の方がふさわしいように思われます。

詞を訳したのは、明治時代に西洋歌曲の訳詞家として活躍した近藤朔風（さくふう）(1880-1915 年）です。東京音楽学校で学ぶかたわら東京外国語学校にも在籍し、外国語を習得しました。「なじかは知らねど心侘びて・・・」や「泉に沿いて茂る菩提樹・・・」など、今でも私達がその歌い出しを自然に口ずさむ「ローレライ」や「菩提樹」などの詞も訳しています。野ばらの詞も、前々ページに示しました朔風による「童は見たり、野中のばら」が最も有名で、今でも広く歌われています。ところがこれはシューベルトの曲につけた訳詞と云われ、現在ではヴェルナーの曲でもこの詞が歌われます。それとは別に朔風は、次ページに示すようなヴェルナーの曲に合わせた訳も書いています。二つの曲の異なる旋律に合わせるために訳を変えたものと思われますが、一人の訳詞家が同じ詞に異なった訳をするというのも珍しいことです。

野ばら

ゲーテ作詞　近藤朔風訳詞　ヴェルナー作曲

1．童は見たり　荒野（あらの）のばら
朝とく清く　嬉しや見んと　走りよりぬ
ばら　ばら赤き　荒野のばら
2．われは手折らん　荒野のばら
われはえ耐えじ　永久に忍べと　君を刺さん
ばら　ばら赤き　荒野のばら
3．童は折りぬ　荒野のばら
野ばらは刺せど　嘆きも仇に　手折られにけり
ばら　ばら赤き　荒野のばら

果たしてあなたはどちらがお好きですか？

さて病院の話題です。今回は新しい外来棟について紹介致します。

■　**外来棟は5階建です**

1、2階は駐車場で、3、4階が外来診療スペース、5階にエネルギーセンターが入ります。3、4階は上空通路により入院棟と連結されています。

■　**3階では内科系診療科、心臓や呼吸器外科などの外来診療が行われます**

各外来はA、B、Cの3ブロックに分かれ、ブロックごとに受付があります。

Aブロック：歯科口腔外科
Bブロック：内科、糖尿病内分泌内科、呼吸器内科、消化器内科、
　　　　　　腎臓内科、血液内科、総合診療科
Cブロック：循環器内科、心臓血管外科・呼吸器外科、
　　　　　　膠原病リウマチ内科、整形外科・リウマチ科、皮膚科
　　　　　ほかに点滴や採血、採尿を行うスペースがあります。

■　**4階では外科系診療科、小児、産婦人科などの外来診療が行われます**

Dブロック：耳鼻咽喉科、眼科、麻酔科、小児科、小児心療内科
Eブロック：外科、乳腺外科、脳神経外科、脳神経内科、形成外科、精神科
Fブロック：泌尿器科、産婦人科

■ **外来診療の受付、会計は入院棟 3 階の総合受付で行ってください**

初診の患者さんは、総合受付①番の窓口へ紹介状を提出して手続きをしてください。

再診の患者さんは、再来受付機が 3 台ありますのでご利用ください。

診察が終了しましたら、総合受付へ外来基本カードファイルをお出しになり、自動精算機（3 台）にて会計を済ませてください。

■ **病診連携にご協力ください**

病診連携とは、病院と診療所が協力して、患者さんの病態に応じた適切な診療を円滑に行うものです。「体調がおかしいな？」と思われたら、まずかかりつけの先生か近所の診療所へご相談ください。診察された先生が専門的な診療が必要と判断された場合には、当センターへ紹介していただきます。また本センターでの治療が終了し小康状態になりましたら、元の先生のところへお戻りいただき適切な加療をお続けください（逆紹介）。このようにして、かかりつけの先生と本センターとが緊密に連携することにより、患者さんの病状に応じた適切な診療を継続することができます。すべての患者さんが本センターへ集中されますと、本来の高度で専門的な診療ができなくなってしまいます。どうぞ病診連携にご協力のほどよろしくお願い申し上げます。

外来棟

階				
5階	エネルギー・センター			
4階	Fブロック	Eブロック	Dブロック	上空通路
3階	Cブロック	Bブロック	Aブロック 点滴・採血・採尿	上空通路
2階	駐車場			
1階	駐車場			

→ 入院棟へ

7月：ハルジオン（春紫苑）とヒメジョオン（姫女苑）

—初夏から真夏へ、知らぬ間の交代劇—

田植えの終わる頃、畔に咲くハルジオンの白い花（5月5日撮影）

今年の7月は、まさに異常気象の連続でした。まず西日本を襲った豪雨です。九州では今月3日頃より雨が降り始めましたが、台風7号の接近により梅雨前線が活性化されて雨脚が強くなり、5日から8日頃にかけて広島や岡山、愛媛などの中四国や九州地方に記録的な大雨をもたらしました。総雨量は1000ミリを超える所も多く、7月の通常の雨量の4～5倍にも達したそうです。東海地方でも6、7日は一日中雨が降り続きましたが、8日の日曜日には上がり、ほっとしてテレビのニュースを見ますと、まだ雨の降り続く西日本の各地で洪水や土砂崩れによる被害の発生していることを伝えていました。その時私は、被害がそんなに大きいとは夢にも思っていませんでした。

ところが 1 日、2 日と日が経つに連れ、想像を絶するような甚大な被害の実態が明らかになって来ました。7 月 22 日現在、死者は 224 人、行方不明 12 人にも達し、今もなお 4500 人を超える人々が避難所で暮しています。1 階がすべて土砂で埋った民家、土砂で水路が埋め尽くされ水の流れなくなった川、濁流に押し流され捨てられたように折り重なる自動車、落下した橋や曲がりくねった線路などの惨状を見ますと、今さらながら土砂洪水の凄さ、恐ろしさに言葉を失います。私の友人に、実家が愛媛でみかんの栽培をしている人がいますが、彼女の話によりますと、みかん山の被害は余りにも広範囲に拡がっていて、豪雨から 2 週間経っても、被害の実態調査は半分も終わっていないそうです。亡くなられた多数の方々のご冥福を謹んでお祈り申し上げますと同時に、ご家族や住居、田畑などを失われた方々に心よりお見舞い申し上げます。

次は酷暑です。雨の上がった翌 9 日、東海地方では平年より 12 日も早く梅雨明けが発表されました。それ以後ずっと晴天が続き、25 日までの 18 日間、一度も雨が降りませんでした。と同時に、今までに経験したことのないような酷暑の日が続きました。全国各地では暑さで倒れて救急搬送される患者が急増し、16 日から 22 日までの 1 週間に過去最多の 65 人の方が熱中症で亡くなったそうです。7 月 23 日には、埼玉県熊谷市で最高気温が 41.1 度と歴代最高を記録し、桑名市でも過去最高の 39.7 度に達したとのことでした。

白と桃色のハルジオン（4 月 30 日撮影）

赤茶色のスイバの穂とともに農道の堤を飾るハルジオンの白や桃の花(5月6日撮影)

私の記憶では、7月中旬にこのような猛暑の日が続くことは、今まで無かったように思います。地球温暖化の影響でしょうか、豪雨に猛暑、日本の夏は確実に熱帯化しているようです。そんな異常気象の続く中、5月の連休頃から道端や野原、田圃の畔などを群れになって白く飾る野草があります。ハルジオン（春紫苑）とヒメジョオン（姫女苑）です。ともに北アメリカ原産のキク科ムカシヨモギ属の植物で、日本に移入されたものです。姿はよく似ていて遠くからでは区別できません。その区別の方法は後で記しますが、最も異なるのは開花時期です。ハルジオンは5月から6月上旬と早く咲き、それに遅れて入れ替わるようにヒメジョオンが花開きます。6月中旬から7月上頃がピークですが、その後も細々と夏から秋まで咲き続けます。昨年まで私は、5月から8月、9月までの長い間、道端や田圃の畔などに咲いている白い花を見て、ずっと同じ花、ハルジオンだと思っていました。でも実際は違っていたのですね。初夏にはハルジオン、その後咲くのがヒメジョオンなのです。外から見たら同じようにみえるのに、いつの間にか演じる主体が変わっている、観客の知らぬ間の主役の交代です。人間の社会でも、よくありそうな交代劇です。

水辺のヒメジョオン
（6 月 2 日撮影）

夏の陽を浴びて河原を埋め尽くすヒメジョオンの白い花（6 月 16 日撮影）

上の２枚の写真は白と桃色のハルジオン、下の写真がヒメジュオンですが、どのように識別したらよいのでしょうか？

ハルジオン（上下にある蕾は桃色です）

ヒメジュオン

まず花びら（舌状花）の形態に違いがあります。左のハルジオンでは糸のように細くて無数にあるのに対し、右のヒメジュオンでは少し幅を持っていて、数もハルジオンほど多くはありません。しかしこのように並べてみるとその違いがよく分かりますが、単独で見た場合にはなかなか区別は困難です。

ハルジオン

ヒメジュオン

次に葉の茎への付き方に違いがあります。ハルジオンの葉の茎への付着部は幅広で茎を抱くようになっていますが、ヒメジュオンでは付け根は細くなって付着します。

さらに茎を切断して断面を眺めますと、違いは鮮明になります。切断面は、ハルジオンでは中空なのに対し、ヒメジュオンでは内部に白い髄のようなものが詰まっています。

ハルジオン

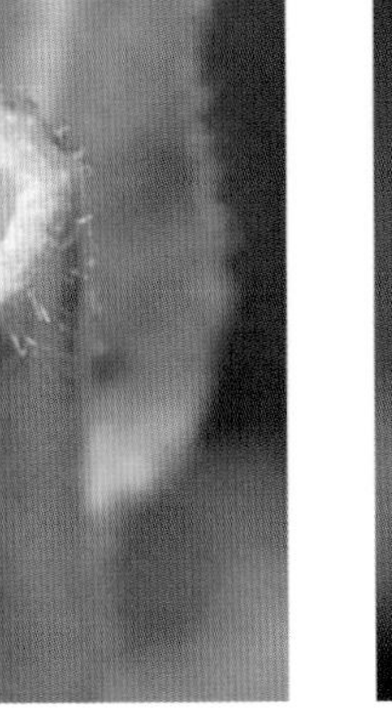

ヒメジュオン

ハルジオンでは、開花した花が桃色であれば蕾も当然桃色ですが、白い花でも、蕾は桃色と白があります。一方、ヒメジュオンの蕾は、私の観察した限りでは白だけです。面白いのは、ハルジオンの蕾は大きく曲がりくねって下に垂れることです。一見、そのまま萎んでしまうのではないか、と心配になります。「ええ若いもんがうなだれて・・・」なんて思わず檄（げき）を飛ばしたくなります。ヒメジュオンの蕾も垂れますが、ハルジオンほど顕著ではありません。それを上方から眺めますと、不思議な幾何学模様となります。

うなだれるハルジオンの蕾

愛嬌たっぷりの幾何学模様を描く
ハルジオンの花と枝

ハルジオン（上）とヒメジュオン（下）

そこでハルジオンとヒメジュオンの花の群を上方から撮影してみました。ともにたくさんの小さな花火がポンポンポンといっせいに打ち上がっているようです。しかし、どんなに数が多くても､それぞれの花は仲良く咲いています。調和がとれているのです。

下の写真の秋に咲く小菊のように、お互い相手の顔を押しのけながら「我こそは！」と咲いている者は一人もいません。

秋の小菊

ハルジオンという名前は、春に咲く紫苑という意味だそうです。紫苑はキク科の野草で、秋に薄紫色の美しい花を咲かせます。この花の淡い紫色を紫苑色と呼んで、古くから染色などに使われて親しまれて来ました。この花を見ると、その人が心の中に抱いている想いを忘れないという言い伝えから、忘れな草とも呼ばれます。逆に初夏の頃、ユリに似た美しい花を咲かせる萱草（かんぞう）は、その花を見ると余りの美しさに憂さを忘れるという中国の伝承から、忘れ草と呼ばれています。この紫苑と萱草にまつわる有名な話が、平安時代の説話集である今昔物語集にありますので、そのあらすじを紹介します。

紫苑（しおん）　忘れな草

今昔物語集　巻第31　第27

兄弟二人、萱草（わすれぐさ）、紫苑（しをん）を植ゑし語

今は昔、あるところに二人の男の子がいました。ある時、父親が死んで二人は深く嘆き悲しみ、一緒に父の墓へ参っては、涙を流しながら憂いや嘆きを語りました。年月を経て、二人は朝廷に仕え多忙となります。すると兄は「私はこのままでは癒されない。萱草という草は、見る人の憂さを忘れさせてくれるという。父を忘れるために墓へ植えよう」と言って萱草を植えました。その後兄は墓参りへ行かなくなり、弟一人で行くようになりました。弟は、「私は絶対に父のことを忘れたくない。紫苑を植えて忘れないようにしよう」と紫苑を墓に植えます。弟は墓参りの度に紫苑の花を見続けましたので、いよいよ忘れる事はありませんでした。このようにして年月が過ぎ、ある日弟がいつものように墓参りをしますと、突然、墓の中から声がします。「私はお前の父親の屍を守る鬼である。父親と同様、お前を守ってやろう。お前の兄は萱草を植えて父親の事を忘れる事が出来たが、お前は紫苑を植えて父親の事を忘れなかった。お前の父親を慕う気持ちの深いことに感心した。私は鬼の身ではあるが、慈悲の心があり、ものを哀れむ心は深い。私はその日に起こる善悪の事を予知する力がある。お前のためにこの予言を夢で知らせてやろう」。それからというもの、弟は毎日その日に起こる出来事を夢で見ることができ、身の上に起こるすべての事をはっきりと予知する事が出来ました。これは親を恋い慕う心が深かったからであります。このような事から、嬉しいことのある人はそれを忘れないために忘れな草の紫苑を植え、また憂いのある人はそれを忘れるために忘れ草の萱草を植えて、いつも見るべきであると語り伝えられています。
（参考資料　日本古典文学全集　今昔物語集（四）小学館）

萱草（かんぞう）　忘れ草

今昔物語集は、平安時代末期に成立したと云われる説話集で、全 31 巻、1000 話を超える説話が集められています。天竺（インド）、震旦（中国）、本朝（日本）の三部で構成され、有名な「今は昔・・・」という書き出しで始まる仏教説話や民間の伝承、説話などが収載されています。ここで取り上げました紫苑と萱草の話では、父のことを忘れなかった弟は鬼から褒美を貰いますが、父のことを忘れた兄については何のお咎めもありません。私達に馴染み深い日本の昔話の多くは勧善懲悪を基本としていますので、当然兄には何らかの罰が与えられるのですが、今昔物語ではそれがありません。そこが興味深いところです。

今年の 7 月 19 日、日本を代表する脚本家であり映画監督であった橋本忍氏(1918-2018 年)が 100 歳で亡くなりました。黒澤明監督の名作「羅生門」、「生きる」、「七人の侍」などの脚本を監督と共に担当し、自らも「私は貝になりたい」「砂の器」「八甲田山」などの名画を世に送り出しました。なかでも 1950 年に制作された「羅生門」は、日本映画として初めてヴェネツィア国際映画祭で金獅子賞を受賞し、以後黒澤映画が世界で注目されるようになりました。原作は芥川龍之介の短編小説「藪の中」と「羅生門」で、「鼻」、「芋粥」、「地獄変」などの代表作と同じように、今昔物語集や宇治拾遺物語の中の話から着想を得て書かれたものです。芥川龍之介は今昔物語集を愛読して高く評価し、次のように述べています。「今昔物語は、野性の美しさに充ち満ちていて、美しい生々しさがあり、王朝時代の Human Comedy（人間喜劇）である。その語られる世界は、宮廷の公家や姫君、君主だけでなく、庶民、とりわけ土民や盗人、乞食、さらには觀世音菩薩や大天狗、妖怪變化にまでに及び、有名な公家や高僧の三面記事的な話もある。『今昔物語』をひろげるたびに当時の人々の泣き声や笑い声の立ち昇るのを感じた」(評論「今昔物語鑑賞」より抜粋、改変)。確かに1000年以上前の人々が書き残した説話集ですが、話の中には現代社会にも通じる今日性を備えたものもあり、驚かされます。WEBには今昔物語集現代語訳(https://hon-yak.net/)というサイトがあり、世界に誇りうるこの説話文学を、現代語や英語に訳して、現代日本のみならず世界へも広めようとしている人達がいます。興味のある方は是非一度ご覧ください。

さて新病院が開院して3か月が過ぎました。開院早々の5月には、職員の不慣れや院内システムのトラブル、部署間の連携不良などにより、採血や会計などにおいて長時間お待たせするなど、患者さんやご家族の皆様にこの上ないご迷惑やご不便をお掛け致しました。改めて深くお詫び申し上げます。他にもいろいろな問題が起こりましたが、それらを一つずつ慎重に検討して改善に努めて参りました。まだまだ不十分な点が多々ございますが、職員一同これからも改善に努め、一日も早く皆様に信頼され、安心して療養していただける病院となりますよう頑張りますので、どうぞ今しばらくの間、ご寛容のほどお願い申し上げます。

開院当初より「病院の総合受付が3階にあるのは不便だ。なぜ1階にしなかったのか？」と云うご意見をしばしばいただきました。「主要な病院機能を3階以上に配置し、1、2階を駐車場にした理由を聞きたい」というご意見です。その主な理由は、防災上の対策に重点を置いたためですが、以下ご説明申し上げます。

■ 本院の基本設計が始まった頃、東日本大災害が起こりました。多くの病院で津波により1、2階が破壊され病院機能が失われる惨状を見ていて、新病院では、体の不自由な患者さんの多い病棟や不特定多数の人が集まる外来部門は、津波の高さよりも高い位置に設計しなければならないと考えました。南海トラフによる地震が起こった場合、桑名市において想定される津波の高さは当初5mでしたので、1、2階を駐車場にしました。その後、津波の高さは2.4mに見直されましたが、その場合1階は浸水しますが、2階駐車場は無事ですので、地域住民の方々の一時避難場所として利用していただけます。また入院棟と外来棟を連絡する上空通路が3階以上にしか設置できないことも、3階をメインフロアとした理由の一つです。

■ 院内に設置されているエレベーターのうち、1、2 階が浸水しても 3 階以上で稼働するものが数基あり、病院機能を維持できます。また 1 階から 3 階までのエレベーターが使えなくなった場合には、救急患者などを搬送する救急車はスロープを使って 3 階まで上がれます。

■ 非常用発電機は外来棟の 5 階に設置され、浸水による被害を受けないようになっています。その燃料を供給するオイルタンクやオイルポンプは地上にしか設置できませんが、2.7mの高さのコンクリート壁で周囲を囲ってあります。

8月：稲田

—黄と緑の柔らかなハーモニー、ゴッホの夢見た美しい日本の風景—

今年の8月は、7月に続いて異常気象の連鎖でした。相変わらずの酷暑に、次から次へと発生する台風、そして9月6日には北海道胆振東部地震が起こりました。気象庁の統計によりますと8月に発生した台風の数は9個で、これは1967年以来、実に50年ぶりに多いのだそうです。このうち2個が日本に上陸しましたが、この数は平年並みでした。ちなみに、台風の中心が北海道、本州、四国、九州の海岸線に達した場合を「上陸」、小さい島や半島を横切って再び海に出た場合は「通過」と呼ぶそうです。もっとたくさん上陸したような気もしますが、いずれにせよほんとうに天災の多い日本です。亡くなられた方々に謹んでお悔やみを、また被害に遇われた方々に心よりお見舞いを申し上げます。

そんな異常気象のなか、季節は確実に進んでいました。私がいつも自転車で走る広大な田園地帯では、黄色と緑の稲田がモザイク模様のように並んで、柔らかなコントラストとハーモニーを醸し出し、遠くの山々に美しく映えます。この辺りでは、一毛作と二毛作の稲田が混在しています。一毛作では夏だけ稲を育てますが、二毛作では冬には麦を夏には稲を育てます。いずれも田植えは初夏に行われますが、二毛作の田植えは一毛作に比べ１か月ほど遅く、したがって稲の生長も遅れます。８ 月に入りますと、一毛作の田圃では稲はすっかり成熟して黄色になりますが、二毛作の田圃ではまだ緑色をしています。そのため黄と緑のモザイク模様が出来上がるのです。日本の原風景とも云える美しい田園風景、それではご覧ください。

深緑と黄色の田圃を境する真っ直ぐな太い畔。遠くの山まで一直線に伸びていきます。

夏の午後の陽を浴び黄緑と黄色に輝く稲田。遠くの山は眩しく霞んでいます。

稲田の黄緑と野草で覆われた土手の緑が、整然とした美しいハーモニーを形します。
画面中央左寄りに白鷺（シラサギ）が小さく写っています。

晩夏の柔らかな陽の光が、お墓を穏やかに照らします。

朝陽に映える棚田。すっかり色付いた稲田が、金色に美しく輝きます。

夕立の上がったばかりの稲田。空は俄かに明るくなり、
とり残された一筋の雲が山間にたなびきます。

爽やかな夏風の強い日。色付き始めた稲穂が前後左右に激しく揺れ、
黄色い波紋を描きます。

一面黄色くなった広大な稲田。画面中央上方に、一人農作業に勤しむ人がいます。

やがて稲刈りが始まりました。稲刈り機（バインダー）の進む後を白鷺の群が追いかけます。私は落穂をついばんでいるものと思っていましたが、白鷺は肉食ですので、稲が刈られ驚いて飛び出して来たイナゴやカエルなどの昆虫や小動物を食べているのでしょう。人間と鳥が仲良く共存する微笑ましい光景です。ちなみに白鷺という名の鳥はいなく、白い色をした鷺の総称なのだそうです。白鷺には、ダイサギ、チュウサギ、コサギ、アマサギの４種類がありますが、ダイ（大）、チュウ（中）、コ（小）で分けるのは気の毒な気がします。もう少し良い名前はないのでしょうか。

フィンセント・ファン・ゴッホ　　収穫の風景　　ファン・ゴッホ美術館蔵

上の絵は、フィンセント・ファン・ゴッホ(1853-90年)が1888年に描いたものです。題名は「ラ・クローの収穫風景」とか「収穫」とも云われます。ゴッホは、1888年2月20日、2年間のパリでの苦渋に満ちた生活を捨て、明るい光を求めアルルへ移ります。ゴッホ35才の時です。3月には、友人の画家エミール・ベルナールへ宛て、次のような手紙を書いています。「この土地が空気の澄んでいることと明るい色彩効果のために日本のように美しく見えるということからはじめたい。水が風景のなかに美しいエメラルドと豊かな青の斑紋を描いて、まるで、錦絵のなかで見るのと同じ趣だ」。この頃に有名な「アルルの跳ね橋」を描きますが、画風は初期の頃の暗い色調から一変して、明るく色彩豊かになります。6月に入りますと、アルル郊外のラ・クロー平原へ毎日のように出掛けては、広大な麦秋の畑を描きます。その頃、弟テオに宛てた手紙です。「いま新しいモチーフにかかっているが、それは見渡す限りの緑と黄の畑で、もう二度もデッサンをしたが、いま油でやりなおしている。」(テオへの書簡 496)。そして完成したのが「収穫の風景」です。この絵では、遠景に整然と区画された黄とうす緑の畑が拡がり、そのかなたに並ぶ青白い連山、空は青く澄んでいます。近景には、青い荷車を中心に農家や果樹園でしょうか、緑濃い樹々とそこで働く女性が描かれています。果樹園を囲む杭の一本一本がていねいに描かれているのが印象的です。また畑では、農作物の刈り取りから荷車での運搬、さらに積み上げなど、刈り入れ時の一連の農作業が描かれます。絵全体に力みがなく穏やかな調子で落ち着きがあります。すべての対象が輪郭鮮明に描かれていますので、見ている私達も安堵感を覚えます。ゴッホは、アルルへ来て日本のような明るい光景を目にして、余程嬉しかったのでしょう。またこの頃、ゴーギャンをアルルへ呼んで共同生活する話も進んでいましたので、その期待感から制作意欲も高まっていたのでしょう。ゴッホはしばしば「炎の人」と形容されますが、この絵を見る限り、とてもそんな激しい人には思えません。若い頃、牧師になったゴッホは、炭鉱で働く貧しい人達を救おうと自ら炭鉱に住み込んで布教活動に努めます。画家となってからも、貧しい娼婦を憐れんで生活を援助し結婚しようとまでします。ゴーギャンをはじめ他の画家仲間達と共同生活組織を作り、お互い生活を支援しながらそれぞれの芸術を高めることを夢見ます。ゴッホは、ほんとうは心やさしい理想主義者でした。ただ余りにも妥協を許さない完全主義者であり過ぎたため、常に他人と対立し孤立していったのでしょう。確かにアルルへ来てから半年ほどの間には、「穏やかさ」や「やさしさ」を感じさせる絵が多く、エネルギッシュに夥しい数の作品を創作しています。そして 10 月 23 日、待望のゴーギャンがアルルへ到着し、二人の共同生活が始まります。しかしお互い個性が強く、絵画に対する考え方も異なるため一緒に生活できる訳がありません。2 か月もしないうちに共同生活は破綻し、失意のゴッホは左耳を切り落とします。その後アルルを離れ、精神病院などへの入退院を繰り返しながら、不安と妄想にかられる日々を送ります。それでも創作を続けるのですが、絵には緊張感や激情が増し、星や月や雲などを渦巻く炎のように描く、独特の筆致も登場します。この頃の絵を見ますと、確かに「炎の人」かも知れません。そして 1890 年 7 月 29 日、ゴッホは、日本に憧れアルルへ移住してから 1 年半後、パリ郊外の農村にて 37 才の若さで自殺してしまいます。ゴッホの苦難続きの短い人生において、アルルでの半年間は、創作の上でも精神的にも最も充実した、かけがえのない時だったのかも知れません。

この絵の基調となる色は黄色ですが、私はゴッホの色は黄色だと思います。麦秋の畑の絵をたくさん描いていますし、「アルルの跳ね橋」、「夜のカフェテラス」「ひまわり」の連作、「カラスのいる麦畑」など多くの作品では、黄色が際立ちます。またアルル時代にアトリエとしたのは「黄色い家」でした。それで私は、春の麦秋の頃や秋の刈り入れ時の稲田など、一面黄色く色付いた広大な田園風景を目にしますと、ゴッホを思い浮かべるのです。ゴッホが夢にまで見て憧れた日本の美しい自然や広大な田園の風景を、私達はごく身近に見ることができます。何と素晴らしいことではないでしょうか。

今回美しい稲田を提供してくれた田園地帯の端に、面白い建物があります。何かの工場ですが、壁は黄色、屋根は青、2 本の煙突は赤色をしています。おとぎの国に出て来そうな家ですが、壁が黄色いので、私は勝手に「ゴッホの家」と呼んでいます。自転車で走る時、この家を眺めるのを楽しみにしています。

ゴッホの家

さて病院の話題です。8 月 24 日（金）、桑名市総合医療センターの入院患者さんに特別メニューの夕食が供されました。本院栄養管理部顧問の岩田加壽子先生の企画で、志摩観光ホテル元料理長で顧問の宮崎英男さんと、高校生レストランで有名な相可高校の村林新吾先生をお呼びして調理していただいたのです。実はお二人には 2 年前にも三重サミットの開催を記念して患者さんの夕食を作っていただきましたが、今回は新病院の開院祝ということで、再び腕を奮っていただきました。厨房は朝から志摩観光ホテルの若手料理人や相可高校の生徒さん達、さらに当センターの職員が入り混じってあふれるほどになりましたが、6 種類の料理の仕込みから調理、盛り付けまで整然と行われ、「さすが！」と感心しました。

メニューは次の通りです。
1）海の幸パナシェ　サフラン風味　香味野菜のアリュメット添
2）伊勢海老クリームスープ
3）シェフサラダ
　　マンゴードレッシング
4）海の幸と野菜
　　　伊勢海老コンソメジュレ
　　　と鮑のヴィシソワーズ
5）クレープシュゼット
6）あおさご飯

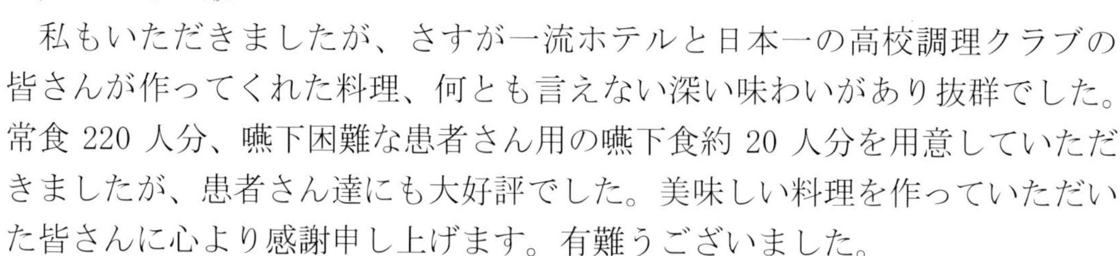

　私もいただきましたが、さすが一流ホテルと日本一の高校調理クラブの皆さんが作ってくれた料理、何とも言えない深い味わいがあり抜群でした。常食 220 人分、嚥下困難な患者さん用の嚥下食約 20 人分を用意していただきましたが、患者さん達にも大好評でした。美味しい料理を作っていただいた皆さんに心より感謝申し上げます。有難うございました。

　さらに桑名市内のこども食堂「太陽の家」から子供さん 6 人と理事長の対馬あさみさんほか保護者の方 3 人を招待し、味わっていただきました。現在桑名市内にはこども食堂が他にも 4 施設あり、今年は三重県全体のこども食堂の集会を桑名で開催するそうで、皆さん張り切っています。頑張ってください。私達もできる限り応援したいと思っています。

料理を作っていただいた皆さん（後列左端岩田顧問、
左より 3 人目筆者、4 人目村林先生、7 人目宮崎顧問）

　絵画「収穫の風景」は、ファン・ゴッホ美術館（アムステルダム、オランダ）のウェブ・サービス・サイトよりダウンロードしました。また文中の 2 通のゴッホの手紙は、「ファン・ゴッホ書簡全集、みすず書房　東京」より引用しました。

9月：ニラ（韮）

―タデ食う虫は好き好き（すきずき）、ニラ食う虫は好き好き（すきすき）―

つゆ草を背景に咲き揃うニラの花

9月に入り天候は少し落ち着いたようです。8月には9個も発生した台風も、9月には3個しか誕生していません（9月24日現在）。9月上旬西日本を襲った台風21号は、各地に強風と大雨による大きな爪痕を残していきましたが、甚大な被害を被った関西空港も二週間経過してほぼ全面復旧したとのことです。しかし同じ頃に起きた北海道胆振地震では、今なお多くの方が避難所生活を余儀なくされています。幸い家屋の損壊を免れた家庭でも、給油タンクなどの暖房設備が破損して使えなくなり、修理も間に合わず、厳しい冬を迎えるにあたって大きな問題となっているそうです。今年に入ってから大阪、北海道と相次いで起きた大地震、「次は南海トラフだ」と案じられている方も少なくないのではないでしょうか。何時起こってもおかしくない東南海大地震、「ああ今日も無事だったか・・・」と、ふと胸を撫で下ろす毎日です。これから先もずっと地震の来ないことを祈るばかりです。

つゆ草

ヒレタゴボウ

そんな中、稲田では一毛作の稲の刈り入れが終わり、替わって二毛作の稲が黄色く色付いて来ました。畔や田圃の縁には、青紫のつゆ草、鮮やかな黄色のヒレタゴボウ、お姫様のように愛らしい玉すだれなどの野草が、あちこちで小さな花を咲かせています。

玉すだれ

用水路に沿った畔を埋め尽くすように咲くニラの白い花

今年目立つのは、ニラの白い花の群です。中華料理で食べるニラですが、畔や用水路の土手を白く飾っています。

黄色い稲穂とよく調和するニラの白い花

真っ直ぐに伸びた長い茎に真っ赤な花の咲き始めた彼岸花との相性も抜群です。

畔の土手を飾るニラの白い花、黄金色の稲穂と遠くの蒼い山によく映えます。

ニラ（韮）は、ネギ属の多年草で、その葉は緑黄色野菜として中華料理などに使われ、葉ニラとも呼ばれます。原産は中国北部からモンゴル・チベットあるいは日本とも云われ、日本では古事記や万葉集にも記載があるほど古くから人々に親しまれて来ました。道端や畔などでみられるニラは、初めからの野生種なのか、栽培していたものが野性化したのか、よく分かっていないそうです。

葉はすっかりお馴染みのニラ

ニラには、葉ニラのほかに黄ニラ、花ニラなどの種類があります。この中で花ニラは、ニラの花茎と蕾（つぼみ）を食べるのですが、春に小さな可愛い花をつける花ニラとは種類が異なります。

春の花ニラはハナニラ属の植物で、同じような匂いがしますが、毒があり食用にはなりませんのでご注意ください。

春に咲く花ニラ

ニラの花茎は高さ40cm前後で、その先端の一点から多数の花柄が放射状に延びて先に白い花をつけます。全体では傘を開いたようになりますので、このような花の咲き方を散形花序と云います。

「おしべ」は6本、花弁は6枚あるようにみえますが、うち3枚は萼です

蕾（つぼみ）は外側から順次開いていきます

面白いのは、ニラの花には多数の虫の集まることです。私が写真を撮っている間も、蜂や甲虫、蝶などが頻繁にやって来て、撮影の邪魔（？）をします。

また右の写真のように、花弁の根元に黒い糸くずかゴミのようなものが付着しているのをよく見かけます。昆虫の糞かとも思いました。下はその一部（赤枠と黄枠部分）を拡大したものですが、黒いゴミのように見えたものは、実はアブラムシなどの虫だったのです。黒、桃色、白黒の縞模様、翅のあるもの、無いものなど、いろいろな虫が集まり緑色の子房をかじっています。これほど虫の集まる花は余り無いのではないでしょうか。私達にとっては嫌な匂いでも、虫を強く惹きつけるものがあるのでしょうか。そういえばキンモクセイの香りは、私達日本人にとっては芳しいものですが、欧米の人達には敬遠されるそうです。

蓼（たで）食う虫も好き好き（すきずき）」ということわざがあります。食べても美味しくない蓼は、ほとんどの虫が好まないのに、好んで食べる虫もいることから、人の好みはさまざまであるという意味です。ニラには、いろいろな種類の虫がたくさん集まって来て、皆、美味しそうに食べています。ということは、「ニラ食う虫は、皆、好き好き（すきすき）」なのですね。

午後、陽の傾きかけた頃に撮影したものです。ニラの白い花と紅い彼岸花、それに桃色に光る金エノコロ草が群れて咲いています。いずれも個性的な野草の饗宴で、一種怪しげな雰囲気を醸し出しています。

ニラは、匂いは強烈ですが栄養価が高くスタミナのつく食材です。夏バテを防ぐためには「ニラレバ炒め」が欠かせないという人もいるでしょう。餃子にニラが入っていると、美味しさが引き立ちます。一方、最近のヘルシー志向により、肉を使わず野菜中心の精進料理の人気が高まっています。精進料理とは、仏教の戒律に基づいて殺生をせず煩悩を刺激しない食材を用いて調理される料理のことで、その特徴は、野菜や大豆などの食材を加工や加熱処理などをして食べることです。例えば大豆は、豆腐や油揚げなどに加工したり、発酵させて醤油、味噌、納豆などにして使います。野菜類はほとんど煮つけにしますが、そのためにはアク抜きなどの下処理をしなければならないことも多く、ここで培われた調理方法や技術が、和食の発展に寄与したと云われます。そんな野菜中心の精進料理ですから、栄養価の高いニラも当然使われるものと思っていましたら、実はそうではないのです。精進料理では、殺生しないために動物性の肉を用いないことは分かりますが、ネギなどの匂いの強い野菜も使わないそうです。匂いの強い野菜のことを葷（くん）と云い、特にネギ、ラッキョウ、ニンニク、タマネギ、ニラの５種を五葷（ごくん）と呼びます。これら匂いの強い野菜は煩悩を刺激するために使ってはいけないのだそうです。煩悩から解脱して心の安寧を得るためには、刺激の強い食品を摂ってはいけないのでしょうか。

五葷と呼ばれる野菜

現代ではこれらの野菜は様々な栄養素に富み、健康で長生きするために食べることが推奨されています。私は毎日、五葷の野菜を当たり前のように食べています。特にネギは大好物で、味噌汁、冷やっこ、うどん、そうめんなどの薬味として欠かすことができません。そのせいでしょうか、古稀を迎えるようになった今も、相変わらず煩悩に振り回され俗界をさまよっているのは・・・。

ＮＨＫテレビで「やまと尼寺 精進日記」という番組を放映しています。そのダイジェスト版とでも云えるのでしょうか、「やまと尼寺献立帳」という番組を時々見ます。3 人の尼さんが、旬の野菜を上手に使って美味しそうな精進料理を作ります。ひとつのレシピを 3 分間で分かりやすく教えてくれるのですが、テンポ良い進行と尼さん達の会話が面白いので、私のお気に入りの番組です。舞台となっているのは、奈良県桜井市の山中にある音羽山観音寺というお寺だそうです。精進料理も食べさせていただけるとのことですから、一度行ってみたいと思っています。

さて病院の話題です。

本年 5 月 1 日に新病院が開院しましたが、その翌日から旧東医療センターの建物の 1/3 ほどを改修する工事が進められて来ました。9 月の中旬には工事の大半が終わり、西棟として使えるようになりました。各階の配置を次ページの図に示しますが、入院病床が 79 床増えますので、桑名市総合医療センターの病床数は、新病棟の 321 床と合わせて 400 床となります。これで当初計画した病床数が確保されたことになります。他にも幾つかの診療部門などが入りますので、各階ごとに上から順に概説します。

7 階：地域包括ケア病床 38 床が入ります。地域包括ケア病床とは、救急入院したり、手術などの治療を受けられた患者さんに対し、病状の安定した後、リハビリや退院支援などを行って、一日でも早く自宅へ復帰して生活できるように応援するための病床です。

6 階：急性期の患者さんのための病床で、これで急性期病床の病床数は、新病棟と合わせて 362 床（高度急性期病床も含む）となります。

5 階：理事長、副理事長、院長、看護部長などの役員の部屋や会議室、さらに実習に来られた学生さん達の部屋などが入ります。

4 階：透析室が入りますが、新しい透析装置などの導入により設備も充実し医師や看護師、臨床工学士などのスタッフも、皆大いに張り切っています。

3 階：健診センターとリハビリテーション室が入ります。

健診センターでは、常勤医師が私を含めて 3 人となり、非常勤の医師 2 人と力を合わせて 3 診体制で健診を行って行きます。胃カメラなどの内視鏡検査、肺ＣＴなどのがん検診、生活習慣病予防のための栄養指導などに力を入れていきます。

最近の医療では、脳卒中などの急性期の患者さんや、心臓の手術直後の患者さんでも積極的にリハビリテーションが行われています。　地域医療包括ケア病床を開設したこともあり、リハビリテーション室の役割はますます大きくなるものと期待されます。

2階： 格段に人数の増えた医師や研修医のための居住スペースです。

1階： 託児所とかリネン、洗濯室などが入ります。

託児所は今まで3か所に分かれていましたが、ようやく一つにまとまり、これから本格的な活動が始まります。かねてからの念願であった病児保育もできるだけ早急に始めたいと考えています。子育てしながら働くお母さんやお父さんを応援しようと、スタッフ一同張り切っています。

桑名市総合医療センターも、ようやく新病院の全貌がほぼ整いました。今後も職員一同力を合わせて、少しでも良い病院となりますよう頑張って参りますので、よろしくお願い致します。

	西棟	
7階	病棟（地域包括ケア）　38床	
6階	病棟（急性期）　41床	
5階	役員室/会議室	
4階	透析室	連絡通路（病棟へ）
3階	健診センター リハビリテーション室	連絡通路（病棟へ）
2階	医師・研修医居住スペース	
1階	託児所	

１０月：酔芙蓉（すいふよう）

―酔わすのは、冷酒よりも熱燗でしょうか？―

紅白仲良く咲き揃った酔芙蓉。前日は肌寒い一日でした。紅い花はこれから萎んでいきます。

今年の夏は、度重なる台風や豪雨の到来、さらに予期せぬ地震の発生などにより日本列島は大荒れでした。岐阜の長良川の鵜飼いは、10 月 15 日に閉幕しましたが、5 月の開幕以降、大雨や台風の影響で観覧船の運航を中止した日が過去最高の 42 日に及んだそうです。ほんとうにどこもかも大変でした。ところが一変して 10 月は静かです。台風の上陸も今のところゼロです。気候は平穏ですが秋晴れの日が少なく、曇で時折小雨のぱらつく日が続きます。中旬を過ぎると気温も下がって来て、朝晩は肌寒いほどになりました。何となく憂鬱で寒々しい日が続き「今年は冬の来るのが早そうだ」「寒さも厳しそうだな」、そんな予感を抱かせます。季節がどんどん深まっていく中で、一人元気よく花を咲かせているのが酔芙蓉（スイフヨウ）です。4 年ほど前我が家の狭い庭に植えたのですが、どんどん成長して大きくなるもので

芙蓉

すから、今年の冬にばっさり枝を切り払いました。しかし夏になるとまたどんどん成長して枝振りも良くなり、たくさんの蕾をつけました。毎朝白い花を咲かせては、夕方になると赤くなって萎んで落ちていきます。そこで今回は、酔芙蓉にしました。

酔芙蓉はアオイ科フヨウ属の落葉低木で、平安時代の昔から人々に親しまれてきました。アオイ科の植物には、ハイビスカス、ムクゲ、タチアオイや野菜のオクラなど花の美しいものが多く、共通する特徴は、後述しますように「おしべ」と「めしべ」の形にあります。フヨウ属の代表である芙蓉は花弁が５枚の一重咲きですが、酔芙

満開の酔芙蓉。白と桃色の花、それに赤くなって萎んだ花が混在します

蓉はほとんど八重咲きで、稀に一重咲きのものもあります。酔芙蓉の花は、朝は白いのですが、午後になると徐々に赤くなり、夕方には濃い赤色になって萎んでしまう一日花です。白から赤くなっていく様を酔客に例えて酔芙蓉と名付けられました。

右の写真は、花弁の一部が赤くなり始めた酔芙蓉の花ですが、花弁ばかりで「おしべ」や「めしべ」は有るのか無いのかさえ明らかではありません。しかしよく見ますと花の中央部に黄色い「おしべ」らしいものが見えます。そこで花弁をかき分け、中央部を露出してみました。左下の写真をご覧ください。花の底部から太い柱のようなものが直立し、その周囲に先端に葯を付けた「おしべ」の花糸がたくさん付着しています。右下の写真では、太い柱の上端から「めしべ」の花柱が伸び、先端には5個に分かれた柱頭がみえます。そして形の不完全な小さい花弁（花弁化したおしべ）がみられます。これがアオイ科の植物に

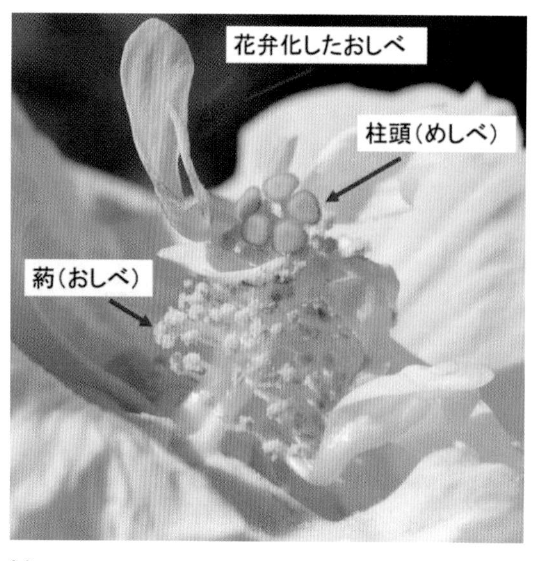

共通する単体おしべ（または雄ずい）です。
単体おしべの断面を右下に示します。多数の「おしべ」の花糸の基部は融合して筒状となり、その下端部には子房、上端部から先端に柱頭を持つ花柱が伸びています。花弁化したおしべの付着部が良く分かります。

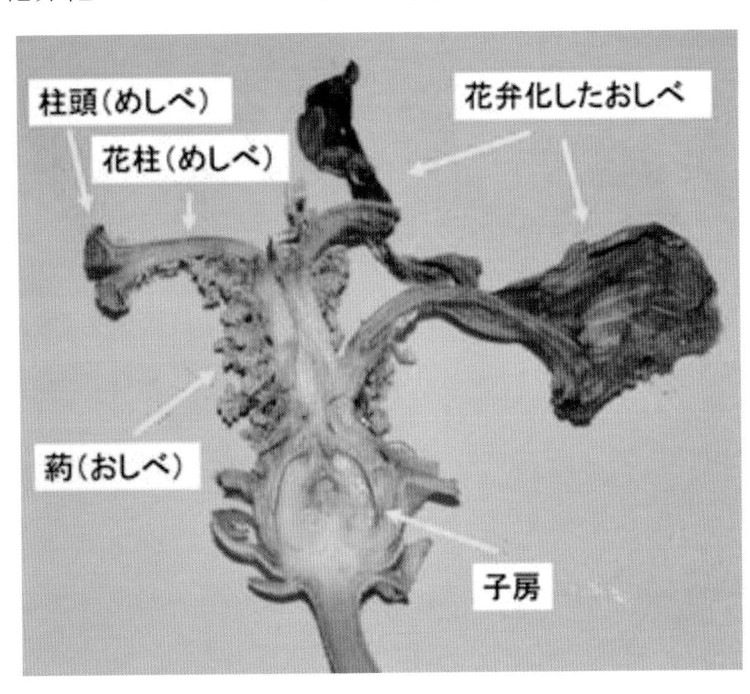

酔芙蓉では、他の八重咲きの花と同様に多数の「おしべ」が花弁化して八重咲きになります。一般に八重咲きの花は実をつけません。「おしべ」や「めしべ」が花弁化して本来の機能が失われるからですが、酔芙蓉では一応普通の形をした「おしべ」や「めしべ」はあるのですが、それらも機能は失われているのでしょうか。

酔芙蓉の花は、朝は白いのに午後遅くなると赤くなるのは、どうしてでしょうか。これは午後になって陽射しが強くなるとアントシアニンという赤い色素の生合成が進むためです。その生合成に影響を及ぼす因子は何でしょうか。紫外線とか温度という説があります。
まず紫外線ですが、午後になると紫外線が強くなりアントシアニンの生合成が進むというのです。そこで、ある朝、幾つか咲いた白い花の一つをアルミ箔で覆って紫外線をカットし、夕方他の花と比べてみました。しかしまったく変わりなく同じように赤くなっていました。紫外線ではないようです。
次に気温です。次ページ、次々ページに気温の高い日と低い日で比較した結果を示します。

まず気温の高い日です。10 月 7 日、最高気温 28 度、最低気温 21 度で残暑厳しい日でした。右の写真は朝と夕方に撮影したものですが、朝 6 個開いた白い花は、夕方にはすべて赤くなっています。

ついで気温の低い日に撮影した写真を次ページに示します。一週間後の 10 月 14 日、4 日前から曇や雨の日が続き、この日も朝から曇、最高気温も 22 度、最低気温 16 度で、寒い一日でした。朝、開いている花のうち、白い花を黄矢印、桃色の花を赤矢印で示してあります。蕾や萎んでしまった花は除きました。黄矢印を付けた白い花は 12 個ありますが、そのどれも夕方になっても赤くならず白いままです。一方、赤矢印をつけた 9 個の桃色の花は、いずれも濃い赤色になって萎んでいます。どうやら気温が影響するようです。

10 月 7 日朝 9 時頃撮影（残暑厳しい日）

10 月 7 日午後 3 時頃撮影

酔芙蓉の花は、気温の高い日には赤くなり、低い日にはならないのです。日本植物生物学会のホームページには、酔芙蓉は気温が 25 度以上にならないと赤くならないとあります。気温の高い日には、朝白い花は午後急速に赤くなって夕方萎み、翌朝には落ちます。しかし気温が低いと赤くなる速度が低下し、夕方になっても白いか、せいぜい桃色ぐらいにしかならず、そのまま翌朝まで開いたままになります。したがって朝から桃色の花は、前日か前々日に開花したものですが、気温が低かったために赤くなれず、桃色のまま翌朝まで残ったものと思われます。

私達が朝一番に見る花は、残暑厳しい頃には白く開いた花と赤く萎んだ花の二種しかありませんが、寒くなりますと、白い花と赤く萎んだ花、それに桃色の花が加わって賑やかになります。また萎んだ花も、暑い頃はコロリと簡単に落ちるのですが、寒くなりますと落ちにくくなるようです。

10 月 14 日朝 8 時頃撮影（寒い日）

10 月 14 日午後 4 時頃撮影

上下 2 枚の写真の右端部分の拡大

酔芙蓉と云えば思い出すのが、高橋治（1929–2015 年）の小説「風の盆恋歌」です。富山県八尾市で開かれる「おわら風の盆」を主な舞台として、お互い家庭を持つ男女の悲恋を描いた物語です。「風の盆」とは 9 月の初め二百十日の風の吹く頃、収穫前の稲が台風などの被害に遇わないように祈る祭です。盆と云うから先祖や故人を偲ぶ行事かと思っていましたが、豊作を願う祭なのですね。その割には静かな祭で、哀調を帯びた三味線と胡弓の伴奏に合わせて越中おわら節が淡々と唄われ、編み笠を深くかぶった男衆や女子衆が、うつむき加減に顔を隠すようにして踊ります。初秋の越中の里に哀調漂わせて唄い踊られる風の盆、その幽玄で美しい世界が、小説の中で見事に描かれています。そこに度々登場するのが酔芙蓉です。朝白く咲き夕方赤くなって散っていく一日花、意識下に死を想いながら夢とうつつの間を行き来する二人、その生の儚（はかな）さ、哀しさを象徴しているようです。私はこの小説を読んで初めて酔芙蓉という花を知りました。おはら風の盆は、小説がテレビドラマになったり歌謡曲で歌われたりしてすっかり有名になり、今では 3 日間で 25 万人ほどの観光客が集まるそうです。私は「おわら」という言葉を地名だと思っていましたが、その由来は、大笑い（おおわらい）、豊年満作を祈願した「大藁（おおわら）」、小原村の娘が唄い始めたからなど、いろいろな説があるそうです。高橋治の小説でもう一つ印象に残っているのは、1983 年に直木賞を受賞した「秘伝」です。鯛釣り名人として世に知れた長崎の漁村に住む老漁師二人が力を合わせて巨大な幻の怪魚、イシナギ釣りに挑戦する物語です。何度も何度も失敗し数年後にようやく成功するのですが、魚がかかった時、握った糸の指先に感じる魚信の強さから、とてつもない大物であると驚き緊張します。海の底の姿の見えない怪物、糸に伝わる魚信だけが頼りです。その微妙な変化に鋭敏に反応する両漁師の巧みな技と、漁師として一徹に生きて来た二人の人生が美しく描かれています。私はこの小説を読んで、すぐヘミングウエイの小説「老人と海」を思い起こしました。1952 年に書かれたこの小説は世界的なベストセラーとなり、2 年後にヘミングウエイがノーベル文学賞を受賞する引き金になったと云われます。主人公は、キューバの漁村に暮らす孤独な老漁師です。長い間不漁が続き、若い漁師たちから除け者にされます。それでも村で唯一心を通わせる少年の励ましもあり、毎日小さな舟に乗ってはカジキ釣りへ出掛けます。ある日、釣り糸に今までに経験したことのない強い引きを感じ、とんでもない大物がかかったようです。舟はどんどん沖へ引っ張られますが、老人は為されるままにして、魚の疲れるのを待ちます。引っ張り続けられている間、海の底の見えない敵に対峙する孤独な老人の姿が描かれます。三日目、老人の疲労は極限に達しますが、疲れのみえた巨大カジキをついに仕留めます。しかし魚体が大き過ぎて舟には上げられず、舟の脇に結び付けて帰路を急ぎます。ところが鮫が次から次へと襲って来て肉を食べ、カジキはとうとう頭と骨だけになってしまいました。港へ戻って来た老人の舟の側に、巨大カジキの残骸が結び付けられているのを見て人々は驚きます。1958 年に映画化されましたが、主演のスペンサー・トレイシーの一人劇とも云える渋い演技が光りました。

アーネスト・ヘミングウエイ(1899-1961 年)は、アメリカを代表する小説家であり詩人です。代表作には、「老人と海」以外に「日はまた昇る」「武器よさらば」「誰がために鐘は鳴る」など多数あります。釣りと狩りを愛し、世界中を旅した冒険好きの作家は、幾つかの自宅を所有していましたが、そのうちの一つがアメリカフロリダ州のキーウエストにあります。キーウエストは、フロリダ半島の先端部より連なる群島の先端の島にあり、アメリカ本土最南端の都市です。南の島ということで興味を抱き、私は二度訪ねたことがあります。マイアミから車で島を連結する橋を渡って走るのですが、向かって右はメキシコ湾、左は大西洋を臨む素晴らしいドライブ・コースで、コバルト・グリーンの海というものを初めて見ました。キューバのハバナに近い南国的な街で、その一角にヘミングウエイの住居があります。彼の書斎に入りますと、窓から熱帯の樹木を覗き見ることができ、ここで「老人と海」が書かれたのかと思うと感慨深いものを覚えました。

キーウエストにあるヘミングウエイの家

ウインスロー・ホーマー(1836-1910 年)というアメリカ人水彩画家がいます。アメリカ美術史上最も偉大な画家の一人で、アメリカ水彩画を確立した人です。今から 35 年ほど前、ニューヨークのメトロポリタン美術館を訪れた時、たまたまホーマーの展覧会が開かれていましたので、この画家の存在を知りました。ホーマーはボストンに生まれ、画家であった母親の影響を受けて画家になります。初めは油絵でしたが、37 歳の頃に水彩画に転じ、自然と人間をテーマにした数々の名作を遺しています。50 歳の頃フロリダからキューバを旅しますが、そこで描かれた水彩画は、海や船上で生活する現地の人々を明るく愛情込めて描き、高い評価を受けました。下の絵には、キーウエストの亜熱帯の海に浮かぶ二艘の白い漁船と、船上で声を掛け合う漁師の姿がいきいきと描かれています。

ウインスロー・ホーマー　Fishing Boats, Key West　メトロポリタン美術館蔵

若い頃、誰もが憧れる南の島、古希を迎えた今となっては、毎晩、酔芙蓉のように赤くなっては布団の中で萎んで丸くなり、最近うるさくなってきた耳鳴りのざわめきの中に、はるか遠くの南の海のさざ波の音を探しながら、やがて深い眠りに落ちていきます。

今回は酔芙蓉から南の島まで思わぬ展開となりました。

さて病院の話題です。新病院が 5 月に開院して半年経過しました。最近職員の人達もようやく新病院に慣れて来て、入院棟も外来棟も以前よりはスムーズに稼働しているように思います。開院当初は、実にたくさんの不手際があって、患者さんやご家族の皆様にはたいへんご迷惑をお掛けしました。今でも患者さんや知人などから「あんなこともあった」「こんなこともあった」といろいろ聞かされます。今振り返りますと、とんでもない状況だったのだと反省しています。不愉快な思いをされた方も少なくないと思います。ほんとうに申し訳ありませんでした。改めて深くお詫び申し上げます。

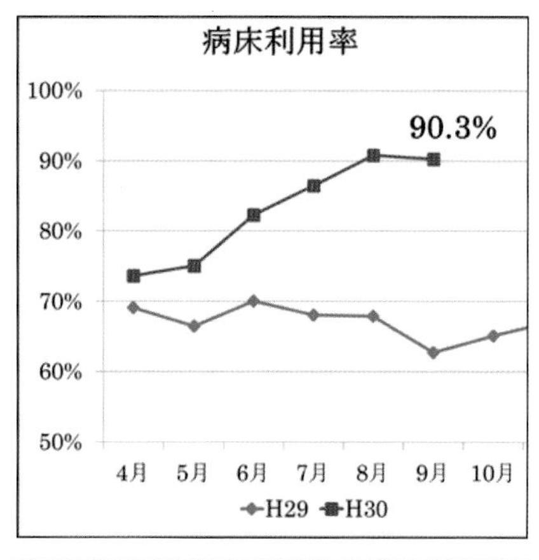

この間の病院の稼働状況についてお話します。まず外来ですが、一日当たりの平均外来患者数は 800〜900 人で、9 月は 964 人でした。今後は 1000 人前後の数で推移するものと思われます。一方入院病棟 321 床の利用率を右上の図に示しますが、入院制限のなくなった 6 月より順調に増え、8、9 月は稼働率 90%を超えるようになりました。入院病床のうち常時9割が使われているということになり、病院運営上好ましい数字です。

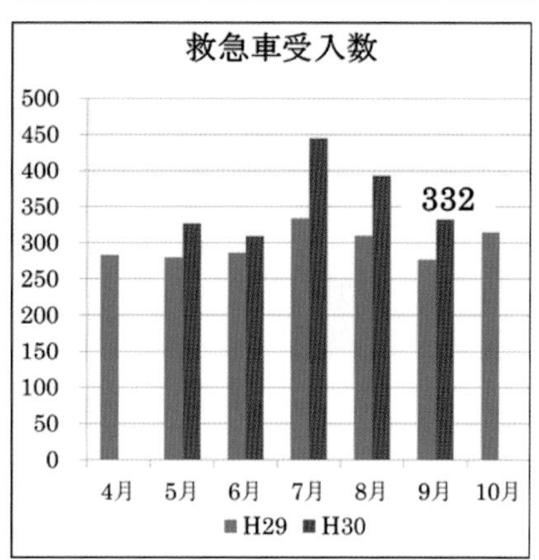

また救急医療に関しまして、この 5 か月間の救急車受入れ件数を、昨年度の実績と比較しました（右下図）。受入れ件数は 7 月がピークで 8、9 月は減少していますが、これは季節変動によるものと思われます。しかしいずれの月も昨年度より増加しています。

10 月より西棟の中で改修の終わった透析室やリハビリセンター、健診センターでの診療が始まりました。しかし駐車場から新病院の受付を経て、これらの診療部へ到達するまでのアクセスが複雑で、迷子になられる患者さんも少なくないとお聞きしています。西棟の改修工事がすべて終わっていないため、このような事態になっているのですが、工事は最終段階に入っており 11 月末には完了します。その後アクセスは大幅に改善されると思われますので、誠に申し訳ありませんが、今しばらくの間ご寛容のほどよろしくお願い申し上げます。

ホーマーの絵画はメトロポリタン美術館 web site よりダウンロードしました。

１１月：紅葉・ドウダンツツジ

—ひときわ赤い満天星、バレリーナの脚が美しい—

鮮やかに紅葉したドウダンツツジ。バレリーナのような細く長い脚は、華麗でしなやかなシルエットを描きます。

11月も気候は穏やかでした。晴天に恵まれ、雨の降ったのは数日しかありません。もちろん台風も来ず、大きな災害もありませんでした。気温はいつまでも高く、日中は過ごし易い日が続きました。そのためか、いつまで経っても街のあちこちでカンナが咲いています。実は今年の夏、本稿でカンナを取り上げようと思い、毎日近くの小川の川原へ出掛けては、カンナの花を撮影していました。しかし余りの猛暑に花の咲き加減が悪く、葉も元気が無くて枯れてしまいそうになっていました。それでカンナは諦めたのですが、それがどうしたことか、秋になって涼しくなりますと元気を取り戻し、ポツンポツンと咲き始め、11月中旬になって周囲は冬景色に移り変わろうとしているのに、まだ咲き続けています。夏の花カンナも余りの暑さに開花できなかったのでしょうか。北の国からは初雪の便りが聞かれ、冬が間近に迫って来ても、まだカンナが咲いている？　今までこんなことがあったでしょうか。一方、近所の街路樹の紅葉は、夏から秋にかけて何度となく到来した台風のために葉が落とされたのか、今一つ冴えません。例年ならば夥しい数の紅葉や黄葉で樹の枝や幹が見えないほどになりますが、今年は透け透けで乏しい葉の間から青空が眩しく覗きます。そんな寂しい街路樹の下を自転車で走っていましたら、例年と変わることなく着実に紅葉している樹があります。ドウダンツツジです。背が低いため台風の影響を逃れたのでしょうか。小さいながらひときわ鮮やかな紅い葉が密集し、木全体がこんもりとした紅い山のようになっています。

ドウダンツツジの紅葉

ドウダンツツジは、漢字で「灯台躑躅」とも「満天星」とも書きます。灯台とは、海難から船を守る灯台ではなく、江戸時代まで夜間の明かりに用いられていた照明具のことです。様々な形のものがありますが、その一つである結び灯台がドウダンツツジの枝が三本ずつに分かれる様子に似ているためにトウダイツツジと名付けられ、それが転じて「ドウダン」となったそうです。また「満天星」とも書きますが、春に釣鐘様の白い小さな花が満天の星のようにたくさん咲きますので、この名が付きました。

三本ずつ枝分かれするドウダンツツジの枝。
その先に白い釣鐘状の花を 5～6 個ずつ付けます。

結び灯台

私は以前、三つ葉つつじの写真を撮っていた時に「つつじは脚が美しい」と思いました。今回ドウダンツツジを撮っていて、さらにその感を強めました。冒頭の写真のように、鮮やかな紅葉を支える細くて長い幹や枝は、微妙な弧や曲線を描き複雑に交差しながら、華麗でしなやかなシルエットを描きます。まるで「白鳥の湖」を踊るバレリーナのようです。

舞台の袖のバレリーナの集団から、左端の二人がつま先だって踊りながらステージ中央へ進みます。

フランスの印象派の画家、エドガー・ドガ(1834-1917年)は、バレー・ダンサーを描いた名作を数多く描いています。そのうちの一つ「舞台の上の二人の踊子」の絵は、二人のバレリーナがつま先を立てて踊りながら舞台の中央へ進んで行く構図になっていますが、前ページの写真の 2 本のドウダンツツジは、その仕草を真似ているようです。

エドガー・ドガ
舞台の上の二人の踊り子
ロンドン　コートールド美術館蔵

舞台の上で勢揃いしたバレリーナたち

真っ直ぐに伸びた多数の細い枝が、繊細な模様を作ります。

晩秋の陽を浴びて輝くドウダンツツジの紅葉。

満天の星のように咲くドウダンツツジの花。横や斜め方向に並ぶ白い花の群が星座のように見えます。

「満天星」と書いて「どうだん」あるいは「どうだんつつじ」と読みますが、これは中国の故事にもとづくものです。昔、ある君主が宮殿で霊薬を練っていましたら、誤って玉盤に入っていた霊水をこぼし、この木にかかりました。すると飛び散った霊水は、

壺状になって満天の星のように美しく輝いたという伝説から、この名が付けられたのだそうです。

ドウダンツツジは、3 本に分かれた枝先に花をつけます。その花の付着部はどのような構造になっているのでしょうか。左上の写真のように、枝の先端には数枚の若葉を持つ軸があり、その周囲に 5〜6 個の白い花が垂れるようにして咲いています。上から見ますと、若葉の軸と花の軸の基部は同じ部位から出ています（右上）。若葉の軸は 3〜４本あり、それが徐々に伸びて枝になります（左下）。秋になりますと、花の付着部に実が成り、三本の枝先

には赤い新芽が付きます。こうして翌年は新芽の部分に花が咲き、若葉が伸びてまた3～4本に枝分かれして行くのです。

満天星と書いて「どうだん」または「どうだんつつじ」と読むとはまったく知らず驚きましたが、さて満天の星、皆様も何度か巡り会われたことがあると思います。私の印象に残っているのは、北アルプスの山中で見上げた満天の星です。学生時代には山に登っていましたので、穂高連峰登山のベース・キャンプとなる涸沢から何度か見上げた星空です。それと社会人になって上高地から少し入った徳沢小屋へ泊まった時、夕食後仲間と一緒に梓川まで出掛け、川原で寝そべって見上げた時の満天の星です。

星空と聞いて想い浮かべるのは、やはり宮沢賢治（1896-1933年）です。名作「銀河鉄道の夜」をはじめ「双子の星」など、星や星座の登場する童話を多数書いています。賢治は子供の頃から、文学と同じぐらい自然科学、とりわけ地学や天文学、生物学などが好きでした。賢治には3人の妹がいましたが、長女のトシは賢治のかけがいのない理解者でした。しかし24歳の若さで結核にて死亡します。「けふのうちに　とほくへ　いってしまふ　わたくしの　いもうとよ」という有名な句で始まる「永訣の朝」は、トシ臨終の際の心情を詠んだ詩です。次女のシゲとは年が離れていることもあり、賢治はずいぶん可愛がったようです。シゲの兄賢治への回想をまとめた「屋根の上が好きな兄と私　宮沢賢治妹・岩田シゲ回想録」（蒼丘書林）という本があります。2017年に出版されたものですが、そこには家族の中の賢治の姿が、ありのまま愛情を込めて描かれています。少年の頃、賢治は家の屋根に上るのが好きで、シゲもよく連れられて上ったそうです。回想録からの一節です。

お空にはいつか大きな星、小さな星が数知れぬ星空になっています。早く降りましょうと誘っても降りない兄を残してお夕飯の席に座りましたが、・・・(中略)・・・何べんか「風邪を引いたらどうする」と注意されても屋根に上がって大空の星を眺める兄のくせはなおりませんでした。

自らもチェロなどの楽器を演奏し農民オーケストラの結成を夢見ていた賢治は、自作曲を幾つか遺しています。そのなかで最も有名なのが「星めぐりの歌」です。

星めぐりの歌

作詞・作曲　宮澤賢治

あかいめだまの　さそり
ひろげた鷲の　　つばさ
あをいめだまの　小いぬ、
ひかりのへびの　とぐろ。

オリオンは高く　うたひ
つゆとしもとを　おとす、
アンドロメダの　くもは
さかなのくちの　かたち。

大ぐまのあしを　きたに
五つのばした　　ところ。
小熊のひたいの　うへは
そらのめぐりの　めあて。

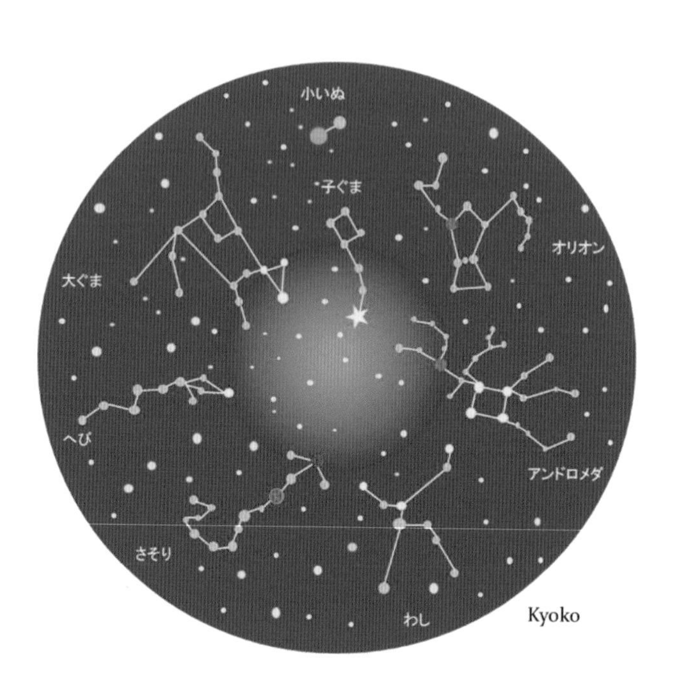

この歌では、いくつかの星座が平易な言葉と緩やかで親しみやすいメロディで歌われます。子供に星座の名前を覚えさせるための歌でしょうか。子守歌でも良いように思います。母親が赤ちゃんをあやしながら星座の歌を歌う、赤ちゃんは夜空の星を思い浮かべながら眠りに就くことでしょう。早逝した最愛の妹トシのために作ったという説もあります。そのためでしょうか、私には何となく哀調を帯びた曲のように聞こえます。

私は満天の星を見る時、その雄大さ、凄さ、無数ということに驚き、圧倒されます。ただただあっけに取られ、気の遠くなるほど広い星空を見上げるばかりです。何も考えられず、無数に輝く星の彼方に拡がる漆黒の宇宙空間へ吸い込まれていくような恐怖感にも似たものを感じます。するとそのうちに、何かしらもの哀しい気持ちが湧き起こって来るのです。無窮の宇宙の中に 1 人ぽつねんと置かれたちっぽけな自分、自身の生きる意義や方向さえ見失しなってしまいそうな壮大な宇宙、その中でたまゆらの時間を生きる人の命の儚さ、人間にとって宿命とも云える「生きるということの哀しさ」のようなものを感じ、何故かしらもの哀しい気持ちになります。それは何度見ても変わりません。ことに人生も終盤になりますと余計強く感じます。
賢治は満天の星を見上げている時、何を感じていたのでしょうか。理想を実現できず、苦難の生活を強いられている我が身の不遇を嘆いていたのでしょうか。あるいは亡くした最愛の妹トシを偲んで涙ぐんでいたのでしょうか。それらの感情を超越した高い次元の「さとり」のような境地で眺めていたのでしょうか。理解されることのほとんどないまま一生を終えた賢治、星空を見上げながら何を想っていたのでしょうか。

さて病院の話題ですが、今回は新病棟が開院して桑員地区で初めて診療が可能となった放射線治療について報告致します。
放射線治療は6月から開始され、11月16日までの約半年間で44人の患者さんの治療を行いました。疾患別では肺がんが最も多く16人、続いて乳がん10人、大腸・直腸がん6人、前立腺がん4人などとなっています。放射線治療は大別して、「がん」を根本的に治療する根治治療と、「がん」の骨などへの転移により痛みの強い部分に放射線を照射して疼痛を和らげようとする症状緩和治療があります。44人の患者さんは、根治治療が30人、症状緩和治療が14人となっています。根治治療を行った患者さんの疾患別内訳は、肺がん11例、乳がん8例、頭頸部がん3例、食道がん2例などです。このうち乳がんの8例は、いずれも乳房温存手術の後に放射線照射が行われたものです。これらの患者さんでは乳がんの発見が早かったために、手術は「がん」の部分を摘出するだけで乳房はそのまま残され、「がん」がリンパ節へ転移することを防ぐために、手術後に胸壁や腋のリンパ節へ照射します。乳がんは早期発見すれば乳房を温存することができ、治癒率も95%前後ときわめて高いのです。今までこの治療を行うためには愛知県や四日市の病院へ行かざるを得なかったのですが、それが本院でも可能となり半年間で8人もの患者さんを治療することができました。ほんとうに喜ばしいことです。なお本院の放射線治療に関しましては、12月に発行されます桑名市総合医療センターニュース(NEWS)vol.55に解説されていますので、是非お読みください。
(なおドガ「舞台の上の二人の踊子」の絵は、コートールド美術館のホームページよりダウンロードしました)

１２月：枯れ尾花

―風に吹かれて夕陽を浴びて、元祖、光のページェント―

上の写真、何だかお分かりですか。螺旋型の電球が光りながら浮かんでいるようにも見えます。あるいはソフトクリームのようなお化けがふわふわ飛んでいるようでもあります。それとも世界各地で開催されるランタン祭でしょうか。

「幽霊の　正体見たり　枯れ尾花」という有名な句があります。幽霊と思って恐る恐る見ていたものが、実は枯れた「すすき」だったということで、物事をこわごわ眺めていると、実際とはかけ離れたとんでもないものに見えてしまうという意味です。江戸時代の俳人、横井也有（やゆう）（1702-83年）の詠んだ「化け物の　正体見たり　枯れ尾花」の句に由来すると云われています。上の写真は、その枯れ尾花、すなわち枯れすすきの穂が夕陽を浴びて怪しく光っている様です。確かに冬の夕暮れ、野山を一人で歩いていて、このような光景に出会ったら驚きますね。ましてや狐火や怪火の存在が信じられていた江戸時代ですから、なおさらでしょう。そこで今回は冬の風物詩、枯れ尾花です。

枯れ尾花の写真へ入る前に、「すすき」に類似する「おぎ」や「あし」（または「よし」）との区別について整理しておく必要があります。「おぎ」も「あし」も「すすき」と同じイネ科の仲間ですが、しばしば区別することが困難で、特に「すすき」と「おぎ」は酷似しており、よく混同されます。私も今まで区別がつきませんでした。そこで今回、その三者の違いを少し勉強しましたので、次ページの図にまとめました。

「すすき」：かや（萱・茅）とも呼ばれ、野原など乾燥した場所を好みますが、湿地帯でも育ちます。他の２種と最大の相違点は、株を作ることです（株立ち）。葉はほとんど茎の下端部から出ますが、ぽつぽつと茎の真ん中の高さぐらいまでは出ます。したがって茎が何本も密集して育ち、たくさんの葉が地面近くから出ておれば「すすき」です。穂を構成する小穂（しょうすい）の先端に、細い糸状のノギがみられることも特徴です。

「すすき」の株立ち

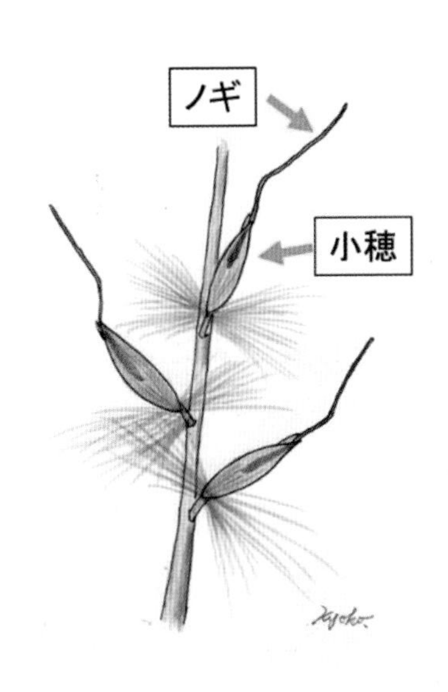

「すすき」の小穂

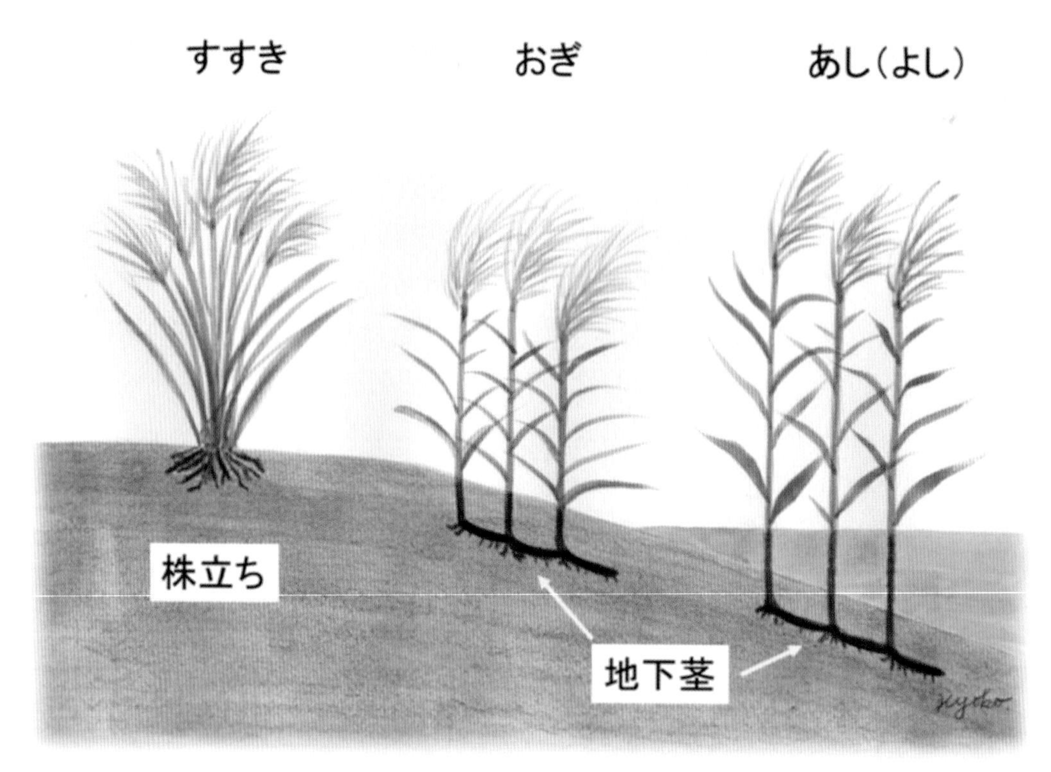

「すすき」「おぎ」「あし（よし）」の違い

「おぎ」（荻）：河岸などの湿地に群生しますが、「すすき」との相違点は株立ちしないことです。茎は地下茎から間隔を置いて生長しますので、「すすき」のように密集することはありません。他に「すすき」と異なる点は、穂は長くて銀色に光ること、葉は茎の高い部分、穂のすぐ下あたりからも出ること、小穂の先端にノギのないことなどが挙げられます。
「あし」（葦）または「よし」：「人間は考える葦である」で有名ですが、アシは「悪し」に通じるということで「よし」（善し）とも呼ばれるようになりました。川の洲や湖沼など水辺に群生する大型の多年草で、茎は3m ぐらいの高さまで伸びます。「おぎ」と同じように株を作らず、地下茎を介して増えますので、茎は間隔を置いて育ちます。葉も「おぎ」と同じく茎の上部、穂の直下からも出ます。「すすき」や「おぎ」と異なる点は、穂が黒っぽいこと、葉の中央を縦走する白い筋のないこと、茎が中空になっていることです。中空の長い茎は軽いので、夏の日除けに使われる「よしず」の材料となります。

この2枚の写真は、よく晴れた風の無い、穏やかな日の午後に撮影したもので、如何にものどかな光景です。上の写真では、小川の両岸は、ぎっしり生えた「すすき」の淡い桃色の穂で埋め尽くされています。左の岸にみえる紅葉は「うるし」でしょうか。

下の写真は、小さな疎水沿いにある窪地に密集した「おぎ」です。風が無いため穂は綿菓子のように膨らんで直立し、群がるペンギンのように立ち並んでいます。

風が吹くと様相は一変します。上の写真は川岸に群れる「すすき」を撮ったものですが、強い風に白い穂が大きくなびき、倒れそうになっています。

風になびく「おぎ」を逆光で撮ったものです。白黒フィルムで撮影したかのような写真になりました。冬の雲を透ける太陽と冷たい風、季節の厳しさを感じます。茎が横に並び、穂の真下からも葉が伸びていて、「おぎ」の特徴をみることができます。

上の写真は、前々ページ下の写真と同じ窪地ですが、風が強く穂がなびいています。画面上方の比較的高い場所では、一様に白く長い穂がなびいています。一方、画面の真ん中から下は窪地で、疎水とほとんど同じ高さの湿地です。そこでは背の高い白い大きな穂と、背の低いやや小型の黒っぽい穂が混在しています。

右の写真はその混在部を拡大撮影したものですが、明らかに異なる二種類の穂が見られます。後方の白い穂が「おぎ」、前方の黒っぽい穂が「あし」です。「あし」は水辺だけでなく、「おぎ」と同じ湿地でも育ちます。水辺で育つ「あし」は大きくなりますが、湿地で育つと大きくならないそうです。そのため「おぎ」よりも背が低くなったのでしょうか。

夕暮れ時、空にはまだ明るさが残っているのですが、写真を撮ると真っ暗になり、「おぎ」の穂の群が白く輝きます。まるでライトアップされているようで、なばなの里や仙台へ行かなくとも、これぞ元祖、光のページェントです。照らし出された「おぎ」たちは、受難の群衆が集まって黙々と行進しているように見えます。

ロマンス・グレーのふさふさした頭髪のように長い穂が揃っておれば、風に吹かれて優雅になびき、美しく輝いて、「すすき」の穂ということはすぐ分かります。

しかし私の薄くなった頭のように、長短不揃いの白髪がまばらに生えている場合には、紡錘形や崩れた球体となり、夕陽を受けて怪しく光ります。風の無い日にはそれが直立して、冒頭の写真のように、この世のものとは思えない何とも不可思議な像となります。

横井也有は、江戸時代の元禄15年（1702年）、尾張藩の武家の長男として生まれました。26歳で家督を継ぎ、大番頭や寺社奉行など藩の要職を歴任します。武芸に優れ、儒学にも造詣が深く、俳人としても名を成した多才の人であったと云われています。俳諧の中でも特に俳文に優れ、代表作である「鶉衣（うずらごろも）」は、横井の文章を読んで感動した太田南畝がのちに刊行した俳文集です。その中に「化け物の　正体見たり　枯れ尾花」の句が収載されています。また横井也有は、「健康十訓」を著わしたことでも知られています。健康に生きるために大切な10項目をまとめたものです。

健康十訓

一．少肉多菜（しょうにくたさい）：肉は少なく野菜を多く食べる
二．少塩多酢（しょうえんたさく）：塩分を控え酢を多く摂る
三．少糖多果（しょうとうたか）：砂糖を控え果物を多く食べる
四．少食多噛（しょうしょくたぎょう）：腹八分目にしてよく噛んで食べる
五．少衣多浴（しょういたよく）：厚着を控え日光浴、入浴をする
六．少車多歩（しょうしゃたふ）：車ばかりに乗らず自分の足で歩く
七．少憂多眠（しょうゆうたみん）：くよくよせずよく眠る
八．少憤多笑（しょうふんたしょう）：いらいらせず明るく笑う
九．少言多行（しょうげんたぎょう）：文句ばかり言わず自ら実行する
十．少欲多施（しょうよくたし）：自分の欲を抑え他人のために尽くす

なるほど現代にも通じる健康のために大切な秘訣ですが、江戸時代にほんとうにここまで考えられたのかなあと疑問も感じます。例えば少肉多菜と云っても、江戸時代にどのような肉を食べていたのでしょうか。少車多歩と云っても、江戸時代にどのような車に乗っていたのでしょうか。横井と関連付ける出典もなく、健康十訓は横井の作ったものではないという説もあります。後世の医師が作った訓話を横井の作としたのではないかと云うのですが、それにしても何故横井也有と結び付けられたのでしょうか。
これも不思議です。

さて病院の話題です。今回は桑名市総合医療センターの循環器センターについて、副院長でセンター長の山田典一先生に紹介していただきます。

これまで桑名市内の循環器診療は、桑名東医療センターと桑名南医療センターとに別れて行って参りましたが、2018年5月に桑名市総合医療センターの新病院が開院してからは、循環器センターとして一つにまとまり、桑員地区の循環器診療を担っております。現在、循環器センターには11名の循環器内科医と 2 名の心臓血管外科医が在籍しております。また医師の他にも、臨床工学士、看護師、リハビリスタッフ、生理検査技師などが一丸となってチーム医療を心掛けており、迅速かつ的確な診断・治療から社会復帰へ向けたリハビリまで、きめ細やかな対応を心掛けております。

循環器センターの対象疾患としては、狭心症や心筋梗塞といった虚血性心疾患、心不全、心臓弁膜症、心筋症、不整脈、大動脈瘤、末梢動脈疾患、肺血栓塞栓症、静脈血栓塞栓症、肺高血圧症、下肢静脈瘤など循環器領域の広範囲の疾患を扱っております。

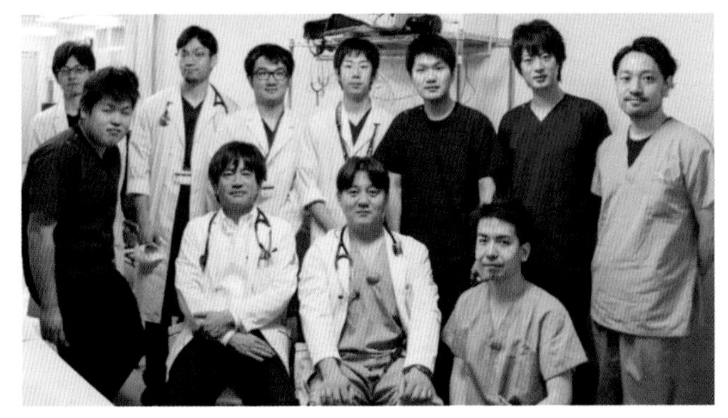
循環器センターの皆さん

循環器領域では、患者さんの生死にかかわるような緊急性の高い疾患の多いことが特徴の一つであり、時間外や休日を含め、常に緊急連絡が受けられるように循環器ホットラインを常設し、近隣の医療機関や院内での循環器疾患発症例に対して迅速に対応する体制を整えております。循環器疾患の診断につきましては、多列検出器型CTや3.0TのMRIなど診断能の高い機器を取り揃えており、さらに新病院からは心筋シンチグラフィーや肺血流シンチグラフィーといった核医学検査も可能となり、さらなる診断能の向上につながっております。

治療につきましても、心筋梗塞や狭心症に対するカテーテル治療、不整脈に対するカテーテル・アブレーション、末梢動脈疾患や静脈疾患に対するカテーテル治療にも積極的に取り組んでおり、右図に示しますように、新病院の開院とともに、当センターでの冠動脈に対するカテーテル治療の件数も著しく増加してきております。

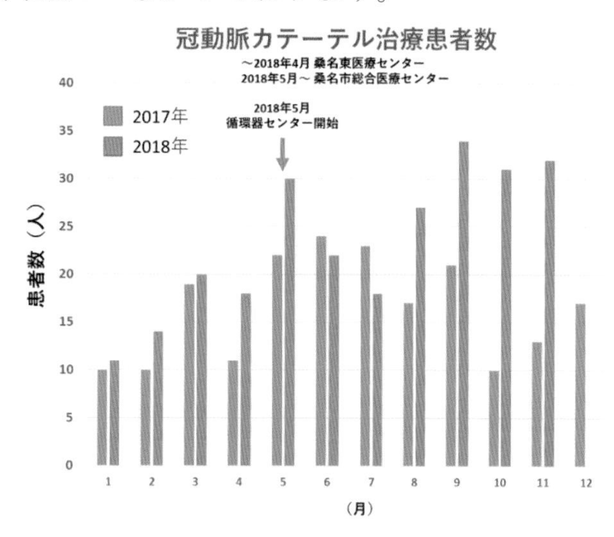

さらに2018年6月からは、これまで桑員地区ではできなかった心臓大動脈手術が始まり、半年間ですでに13件の手術が施行されました。また、これまで前胸部の皮下に植え込んでいたペースメーカーと異なり、直接に心臓内に留置する最新型のリードレス・ペースメーカーの植え込みも開始しております。

これからも地域に根付き、皆様から信頼していただける循環器の先進医療センターとして邁進して参りますので、よろしくお願い申し上げます。

平成３１年
令和元年
（２０１９年）

1月：竹

—気が付けば至るところ竹藪ばかり、どうなる？日本の里山—

きれいに整備された竹林の中を道が真っ直ぐに走ります。

今年のお正月は、比較的穏やかな日が続きましたが、如何お過ごしになられましたか。お正月気分も抜け始めた1月10日（私の70歳の誕生日でしたが）、突然レスリングの吉田沙保里選手の引退発表がありました。世界大会16連覇、オリンピック3連覇、個人戦206連勝、霊長類最強の女子と云われ、2012年には国民栄誉賞を受賞しました。まさに郷土三重県の誇りであり、出身地の津市には吉田選手の名前にちなんだ「サオリーナ」と呼ばれる市立体育館が建設されました。引退の記者会見では、「レスリングは、やり尽くしました。思い残すことは何もありません。これからはレスリング以外のことに挑戦したいです。」とさっぱりした顔で歯切れよく話しました。「一番印象に残っているメダルは？」と聞かれ、「リオでの銀メダルです。あの時初めて、負けた人の気持ちが分かりました。」という答が返って来ました。何と爽やかで人間味にあふれる言葉でしょうか。「竹を割ったような性格」とは、まさにこの人のことをいうのでしょうか。そこで、今回は竹の話です。

連なる小山はすべて竹で覆われ、空の青、山肌の深緑、
広大な麦畑の新芽の若緑とうまく調和して、黄緑色に輝きます。

いざ今月は竹と決め、あちこち竹林を探しながら写真を撮りに出掛けました。何となく京都の嵯峨野か尾鷲の土井竹山まで行かないと、竹林に巡り合えないのかなと思っていたのですが、あにはからんや、私達の周りには竹がいっぱいです。郊外へ出ますと、里山にある小高い丘や小山は竹で埋め尽くされています。今まで全く気が付きませんでした。私の通勤電車は、津と桑名の間、伊勢平野の北半分を海岸線に沿って走ります。山側の車窓からは、沿線に住宅地が続き、その背後に竹林や竹の山が並び、さらに遥か遠くに鈴鹿の連山が望めます。特に四日市北部から桑名にかけては、竹の林や山が途切れなく続き、余りにも竹の多いことに驚かされます。知らぬ間に日本の里山は竹ばかりになっていたのです。

集落のすぐ裏には竹の山が連なります。草紅葉の赤い川堤と麦の新芽の黄緑が美しく調和します。

ひときわ大きな竹林。竹の葉が冬の陽を浴びて柔らかく輝きます。

竹の秋という季語があります。麦秋と同じ意味です。竹は春に筍を出した後、黄葉して葉を落とします。その後すぐに若葉が出て新緑の季節を迎えます。したがって新緑の竹の葉を楽しめるのは、5月下旬から初夏にかけてということになります。そして、そのまま秋から冬にかけて美しい緑の葉を楽しめます。

冬なのに竹の葉の緑は鮮やかです。

また、竹の花が咲くと縁起が悪いと云われます。私は竹の花を見たことがありませんが、確かに竹の花は咲くそうです。しかし咲くのは100年に1度ぐらいで、花後、竹は枯れてしまいます。しかも一つの竹林や竹山でいっせいに咲き、いっせいに枯れてしまいますので、縁起が悪いと言われるようになったのでしょうか。しかしこれは竹の寿命であり、自然のサイクルなのです。実際1960年代に起こった真竹のいっせい開花では、国内の真竹の1/3が枯れてしまい、竹細工の材料が不足して大きな問題になったそうです。

竹の花

竹はイネ科タケ亜科に属し、世界中の熱帯から温帯に分布します。日本には150〜600種ほどの竹があると云われ、その約75%は孟宗竹、25%ほどが真竹だそうです（面積比、ササは除く）。ほとんどが中国から渡来した外来種で、真竹は8世紀頃、孟宗竹は18世紀頃に日本に持ち込まれたとのことです。孟宗竹、真竹、ハチク（淡竹）の特徴を次ページにまとめました。

	孟宗竹	真竹	淡竹
高さ	22～25m	20m	15m
直径	18～20cm	15cm	3～10cm
節	節の下に輪がある（1輪） 若い竹は節の下に白い粉が付く	節の上下に輪がある（2輪） 上の輪には角がない	節の上下に輪がある（2輪） 上の輪も角張っている
幹	緑～白っぽい緑（灰色）	鮮やかな緑	白っぽい緑（灰色）
利用	建築資材など	竹細工など	茶道具（茶筅）など
筍	一般的な筍　アク抜きが必要	皮を肉などの包装に利用	アクがなく美味しい

若い孟宗竹

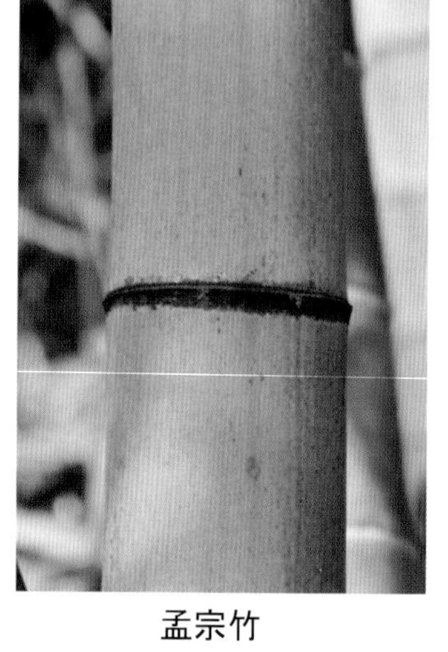

孟宗竹

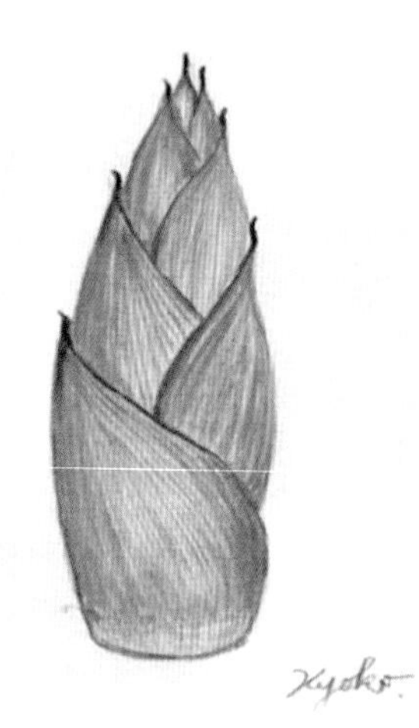

孟宗竹の筍

真竹

真竹の筍

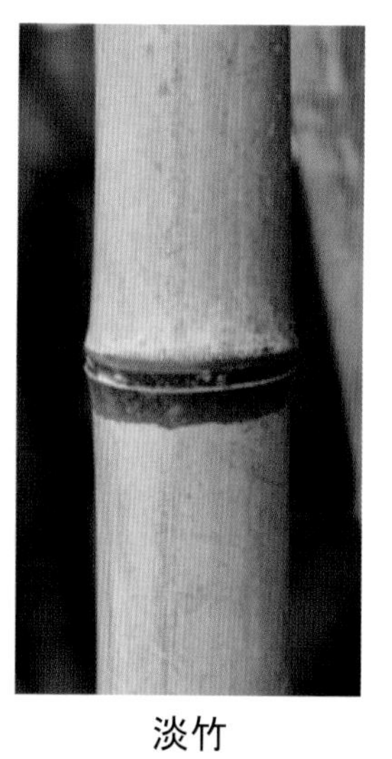

淡竹

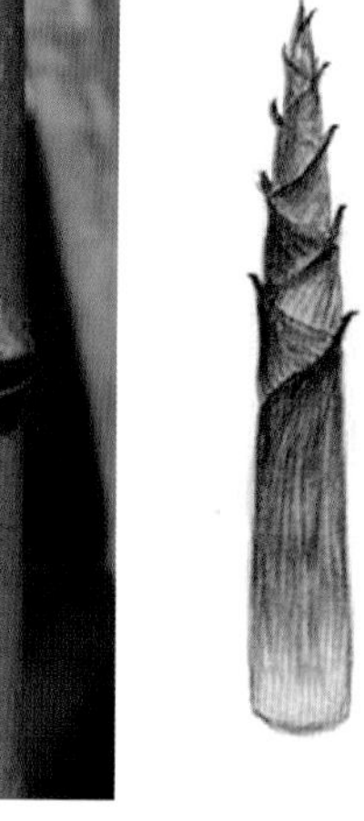

淡竹の筍

冬の陽を浴びて若竹の葉の緑が暖かそうに輝きます。

晴れた日の午後、陽の傾きかけた頃に撮影したものです。竹林が黄味を帯びて幻想的に輝き、北欧の針葉樹林のようにも見え、東山魁夷の日本画を彷彿とさせます。

実際、竹林の中を覗いてみますと、ほとんどが下の写真のような有様です。竹が密集し、折れたリ倒れたりしているものもあって足の踏み入れ場もありません。冒頭の写真のようにきちんと手入れされておれば竹林と言ってよいのでしょうが、これでは竹藪です。日本の里山では、ほとんどの竹林が手入れされず、放棄竹林となっているのです。このままでは日本の里山は竹藪だらけになってしまいます。そこで日本全国で竹藪の伐採作業を進める運動が展開されています。

竹と云えば、竹取物語ですね。竹から生まれたかぐや姫、やさしいお爺さんとお婆さんに育てられ、美しく成長してやがて月へ帰って行く、誰もが知っている物語です。しかし私はこの話をちゃんとした書物で読んだことがないものですから、単なるおとぎ話なのか、それとも誰かの書いた物語なのか、詳しいことは何も知りませんでした。そこで今回きちっと読んでみることにしました。ネットで調べますと、川端康成の「現代語訳竹取物語」（新潮文庫1998年）という本がありました。私は高校時代、川端康成に傾倒した時期がありました。「伊豆の踊子」「雪国」などの代表作はもとより、「掌の小説100篇」「山の音」「古都」「千羽鶴」など主な小説はほとんど読んだと思います。研ぎ澄まされた鋭い感覚で書かれた初期作品群（新感覚派と呼ばれました）から、作家として名を成した後の小説まで、一貫して流れる日本的な情緒、自然観、死生観のようなものが好きでした。ご承知の如く、川端康成は1968（昭和43）年にノーベル文学賞を受賞します。私の大学受験浪人時代です。「川端文学にノーベル賞」、日本中を歓喜の渦に巻き込んだニュース、私にとっても嬉しかったのは当然ですが、同時に大きな驚きでもありました。同年

代の作家で候補者としてノミネートされていた谷崎潤一郎や三島由紀夫であれば、受賞もあり得ると思っていました。なぜなら彼らの小説には、物語性がありストーリーの展開が面白く、読者を楽しませてくれるからです。これならば海外の人にも受け入れられるだろうと思っていました。しかし川端文学では、筋の展開は地味です。それよりも、簡潔で美しい文章および行間に漂う日本的なもの、日本人特有の感覚を感じ取らなければなりません。その微妙な機微を、風土の違う外国の人に、しかも翻訳文を介して理解して貰えるか、疑問に思っていたからです。しかしそれは私の杞憂に過ぎなかったのかも知れません。

私は、川端康成が竹取物語を現代語訳しているのを知りませんでした。出版されたのはつい20年ほど前、彼の死後で、私が夢中になって川端文学を読んでいた頃にはまだ世に出ていませんでした。「現代語訳竹取物語」は、前半は竹取物語の現代語訳、後半はその解説で構成されます。竹取物語は、主として次の４つの話より成ります。

1）かぐや姫の誕生から生い立ち
2）5人の公家の求婚者との攻防
3）かぐや姫に対する帝の恋慕
4）月からのお迎え

川端康成は、これらの話を平易な現代語で簡潔に訳しています。驚くほどすらすらと読めます。この中で、私が特に興味を持って読んだのは、かぐや姫と 5 人の求婚者達との攻防の章です。かぐや姫は、5 人の公家より執拗に結婚を迫られますが、誰とも結婚する気がありません。そこで姫は「私と結婚したいなら、私のお願いする品を持参してください」と云い伝えます。それは求婚者一人ひとりに異なるもので、とても手に入れることのできない難題の品ばかりです。それでも5人は、言いつけられた品を手に入れるために、出掛けて行きます。暫くして一人が戻って来て、「お迦様の使っていた鉢を、苦労してやっと手に入れた」と差し出しますが、それが偽物であることがばれて大恥を掻きます。また龍の首輪を取るために船に乗って出掛けた者は、天罰を受けて大嵐に襲われ、ほうほうの体で逃げ帰ります。同様に他の3 人も言い渡された品を持参することができず去って行きます。これら5人の公家の行動や心理が、ユーモアも織り交ぜて実に生き生きと人間的に描かれています。現代の小説を読むようです。解説の中から、川端康成の竹取物語評を引用します。

「竹取物語は、小説として、発端、事件、葛藤、結末の四つがちゃんとそろっている。そしてその結構にゆるみがないこと、描写がなかなか溌剌としていて面白いこと、ユーモアもあり悲哀もあって、また勇壮なところもあり、結末の富士の煙が今も尚昇っているというところなど、一種象徴的な美しさと永遠さと悲哀があっていい。」

すなわち竹取物語は、れっきとした小説であると結論しています。さらに源氏物語の「絵合」の巻にも「物語の出で来はじめの祖なる竹取の翁に・・・」とあるように、既に紫式部の時代から最古の作品（小説）と云われていたのであろうと推測しています。竹から生まれて月（天空）へ消えていく、そのスケールの大きなファンタジー性も、他の昔話には少ないように思います。平安時代初期に男性によって書かれたと云われる竹取物語、私も単なるおとぎ話ではなく小説だと思います。まだ読まれていない人は、是非一度お読みください。

さて病院の話題です。今回は、外国人患者さんのために医療通訳・コーディネーターとして大活躍をしている２人の職員を紹介します。

三重県は、県内人口に占める外国人居住者の割合が高くて全国 4 位です。特にブラジル、中国、フィリピン人が多く、北勢や中勢地区に集中しています。さらに今年の４月以降は、出入国管理法（入管法）の改正により、さらに外国人居住者の増えることが予想されます。そこで問題となるのが、外国の方が病気になった時の対応です。病院へ行っても言葉が通じず、適切な医療を受けられないことが多いのです。そこで当院では、2 人の医療通訳・コーディネーターを配置して、外国の人達が安心して診療を受けられるようにしています。1 人は以前にも本欄で紹介しましたが、ペルー人のカルデナス・カルラさんで、16 年前に来日しました。母国語はスペイン語で、ポルトガル語、英語、日本語にも堪能です。平成 26 年 4 月より本院で勤務し、現在は常勤職員として忙しい毎日を過ごしていま

カルラさん（左）とシルレイさん（右）

す。もう一人は加藤シルレイさんで、約2年前より勤務し主としてブラジル人を対象にポルトガル語の通訳を担当しています。

彼女達の業務は、多岐にわたります。まず通訳として、総合受付における諸手続きや会計内容の説明、外来診療、内視鏡検査、カテーテル検査などにおける付き添いと説明、手術の同意書や入院指導などの説明、電話予約などがあります。また事務的な業務として、通訳データや予約票の入力、同意書や診断書などの翻訳などもあります。

表 1) 過去 6 年間の医療通訳対応件数

表1には、過去6年間に医療通訳を行った件数の推移を示します。件数は年を追うごとに増え、最近では年間 3000 件近くにも達しています。表 2 は、新病院が本格的に稼働を開始した昨年6月から10月までに医療通訳を行った患者数を示します。月ごとの患者数を過去4年間の数と比較したものですが、いずれの月においても、今年度の患者数が最も多いことが分かります。これらの数字は、県内の他の医療機関と比較しても、いずれも群を抜いて多くなっています。さらにこの12月からは、6階病棟で看護助手として働いているベトナム人のグエンさんを、医療通訳として養成して貰っています。

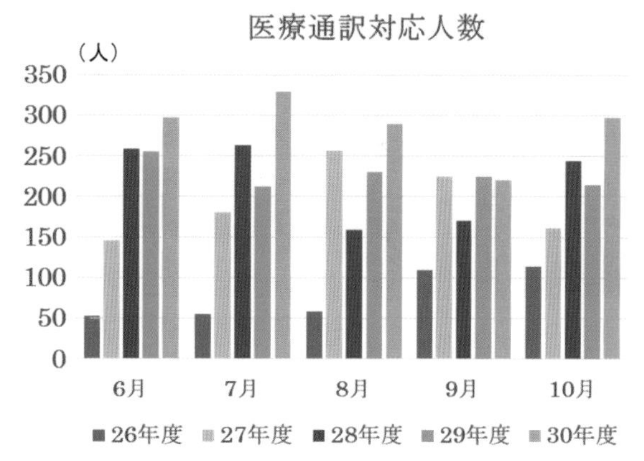

表 2) 最近 5 か月間の医療通訳人数
（過去 4 年間のデータとの比較）

私も2年間のアメリカ留学中には、いろいろな人にお世話になりました。アメリカの人達は、言葉の不自由な私達を常に暖かく迎え入れてくれました。私達日本人も国際社会の一員として外国の人達が少しでも不自由なく日本で暮らせるように協力しなければなりません。カルラさんとシルレイさん、さらにグエンさんのますますの活躍を期待しています。

2月：陽だまり

―縁側の日向ぼっこ、座布団のぬくもり、温かいお茶―

今ではすっかり見かけなくなった縁側

今年の冬は寒かったのか、そうでなかったのか、よく分からないまま過ぎて行ったような気がしますが、皆さんにとっては如何でしたか。でも振り返ってみますと、おしなべて暖冬だったようです。少なくとも昨年と比べれば、ずいぶん暖かかったと思います。それでも 2 月 4 日の立春の後、何となくうすら寒い日が続きました。雨は降らないのですが、天気は晴れたり曇ったり、雲が多くてスカッとした冬晴の日は少なかったように思います。雨が降らないため記録的な乾燥が続き、全国的にインフルエンザが大流行しました。さらに追い打ちをかけるように、三重県では「はしか」も大流行し、私達病院職員や行政、教育関係の人々は、その対応に追われてたいへんでした。

そんな何となく寒々しい、どんよりとした冬空のような気分で毎日過ごしていますと、ふと恋しくなるのは暖かな陽だまりです。陽だまりの縁側で日向ぼっこして、お茶でも飲みながら何を考えるでもなく、のんびり庭を眺めて過ごしたいと思うのです。今ではほとんど見かけなくなった縁側、冒頭の写真は妻の実家の縁側です。庭にある大きな樹の木漏れ陽が縁側に注ぎ、座布団とお茶を明るく照らします。庭は冬の装いですが、ガラス戸に映る庭木の葉は緑鮮やかで、春の近いことを予感させます。そこで今回は寒い２月にありながら、陽だまりで健気に咲き、春の訪れを感じさせる草花を取り上げることにしました。

我が家には、暑い夏を何年も過ごし、毎年２月には決まって美しい花を咲かせてくれる鉢植えなどの植物たちがいます。

福寿草です。４年前友人から貰った鉢植えを庭へ植えたのですが、毎年２月には黄色い小さな花を咲かせてくれます。さざんかの垣根を漏れて来た陽だまりで、穏やかな黄色に輝きます。

クンシランです。これも何年になるでしょうか。屋内の日当たりの良い窓辺で育てているのですが、毎年春先になると鮮やかなオレンジ色の花をたくさん咲かせてくれます。

桜草の仲間たちです。2 年前、本稿で桜草を取り上げた時に買い求めた、プリムラ・マラコイデスなどいろいろな種類の鉢植えを育てて来たものです。約 1/3 ほどに減りましたが、麗らかな早春の陽を浴びて、色とりどりに咲き揃っています。

戸外へ出てみましょう。2 月の野山は、遠くから見るとまだまだ一面冬景色のようですが、近づいてよく見ますと、小さいながらも色鮮やかな花や草が春の息吹を喜んでいます。

青色も爽やかなオオイヌノフグリ。

畔は紅葉したスイバでいっぱいです。

早くもタンポポが咲いていました。西洋タンポポでしょうか、黄色の花と黄緑色の若葉が柔らかな陽を浴びて、暖かそうです。

自宅の近くを走る大きな道路は、山を切り崩して造られたものです。その両脇は斜面になっていて、そこにできた雑木林も明るくなってきました。所々に水仙が株を作って白い花を咲かせています。

山を見上げますと、冬の間は青黒く寒々としていた山肌も、青みが増して明るく輝いています。近くの冬木立の白い幹も、心なしか元気を回復してきたようです。

何よりも嬉しいのは、畑には元気いっぱいの麦の若葉がどんどん伸びて来て、美しい緑の列を何十本、何百本と作っていることです。

梅の蕾も膨らんで来ました。春はもうすぐそこまで来ています。

縁側、最近ほとんど見なくなりました。都市部ではもちろん、田舎でも古い農家にしか残っていないのではないでしょうか。縁側で日向ぼっこする母と子、祖母と孫、如何にも絵になる日本の懐かしい風景です。小津安二郎作品など古き良き日本映画では、必ず登場する定番の舞台です。日本の伝統的な家屋は、冬、屋内はどこも暗くて寒いですから、太陽のさんさんと降り注ぐ明るく暖かな縁側は、好まれたのでしょう。隣近所の人たちとの社交の場でもありました。縁側の文化、日本文化を支えて来た大きな要素の一つかも知れません。

縁側と云えば、私達が子供の頃よく歌った童謡「肩たたき」を思い出しま

肩たたき
作詞：西條八十、作曲：中山晋平

母さん　お肩をたたきましょう
タントン　タントン　タントントン

母さん　白髪がありますね
タントン　タントン　タントントン

お縁側には日がいっぱい
タントン　タントン　タントントン

真赤なけしが笑ってる
タントン　タントン　タントントン

母さん　そんなにいい気持ち
タントン　タントン　タントントン

す。1923(大正12)年、子ども雑誌『幼年の友』に発表された曲で、母を想う子供のやさしい気持ちが伝わってきます。作詞は西条八十（1892-1970年）ですが、苦労をかけた母親が緑内障により失明したため、この詞を書いたそうです。西条八十は、早稲田大学で教鞭を取りながら象徴派詩人として活躍し、「東京行進曲」、「蘇州夜曲」、「青い山脈」、「誰か故郷を思わざる」、「王将」など数々の有名な歌謡曲の詞を書いたことでも有名です。また童謡の作詞も手掛け、「肩たたき」の他に「かなりあ」「鞠と殿様」などの作品があります。このうち「かなりあ」の詩は、1918(大正7)年に鈴木三重吉の雑誌「赤い鳥」に発表され、それに成田為三が作曲したものです。この童謡が好評を博したため、それ以後赤い鳥に掲載される詩には曲が付けられるようになったそうです。この歌は「歌を忘れたカナリアは・・・」の美しい旋律で始まりますが、後は「後ろの山に棄てましょか」、「背戸の小藪に埋〈い〉けましょか」「柳の鞭でぶちましょか」などと衝撃的な詞が続きます。私は初めて聞いた時、子供心にも、ずいぶん残酷な歌やなあと思いました。これには西条八十の幼い頃の記憶が関係しているそうです。教会のクリスマスに行った夜のこと、会堂内にはたくさんの電灯が明るく華やかに灯されていましたが、彼の頭上の電灯だけ消えていました。その時、他の鳥達は楽しそうに囀っているのに、一羽だけ囀ることを忘れた小鳥のように感じたそうです。でも最後には「象牙の舟に銀のかい　月夜の海に浮かべれば　忘れた歌を思い出す」と結び、何とか救われますが・・・。ちなみに八十という名前は親の付けた本名ですが、「苦しいことがないように」と「八九十」の九の字を抜いたものだそうです。

日向ぼっこの縁側と云えば、寺田寅彦(1878-1935年)の随筆「茶わんの湯」を思い出します。縁側の日向で、茶わんのお湯から上がる湯気の動きや、茶わんの底にみえる模様を詳細に観察し、自然界でみられる様々な気象現象の正体や成因を分かりやすく解説しています。例えば、お湯から立ち上る湯気が渦を巻くのと同じように、春先、前日雨が降って湿った庭に暖かな陽が当たると渦が発生することがあります。それと同じ原理で規模を大きくしたものが

竜巻であり、雹（ひょう）や霰（あられ）を降らす雷雲であると説明します。この随筆は寺田寅彦が前述の雑誌「赤い鳥」へ、少年少女向けの科学的読み物として寄稿したものです。私達の世代では、小学校か中学校の国語で習った人も少なくないと思います。私は高校時代、寺田寅彦の随筆が好きでした。たくさんの作品のなかから、少しずつ拾い抜きしては読んだものでした。寺田寅彦は、自然科学者としての冷静な観察眼と素養を持ち、夏目漱石の弟子として文学や音楽などの造詣も深く、自然科学と芸術とを総合した随筆の新しいスタイルを確立しました。読者にとって何よりも嬉しいのは、身の回りにある様々な事象を、やさしい文章で分かりやすく記述してあることです。私は寺田寅彦の文章を読んで、誰にも分かるように書き表すためには、難しい言葉は使わず、平易な文章で簡潔に表現すべきであると教わりました。さらに、じっくり観察することの大切さです。対象を先入観なくありのまま詳細に観察すること、それにより今まで見えていなかったものが見えるようになり、ついで様々な疑問が湧いてきて、それを解決するためには次にどうしたら良いか、方向性が明らかになって来ます。これが自然科学における研究の原点なのではないでしょうか。私はこのブログをかれこれ8年近く書き続けていますが、いつも寺田寅彦の随筆を思い浮かべながら書いて来ました。誰にも分かるように書いているだろうか、ちゃんと観ているだろうか、と自問自答しながら・・・。しかしまだまだそのレベルには達していません。それどころか時々大きな失態を演じてしまいます。十分な観察をせず、自身の思い込みで書いてしまうからです。まさに「日暮れて道遠し」です。

さて病院の話題です。今月は、新病院になって新しく開設されました脳卒中センターについて、副院長でありセンター長でもある阪井田博司先生にご紹介いただきます。

脳卒中センターには、脳神経外科医 5 名と脳神経内科医 4 名が常勤し、脳出血や脳梗塞など急性の脳血管障害患者を中心として、救急対応から診断、治療、リハビリテーションまでの診療を行っています。本センターには、脳神経外科学会、脳神経内科学会の専門医および指導医、脳神経血管内治療の専門医および指導医のほか、脳卒中の外科技術指導医、脳卒中専門医、内視鏡技術認定医、頭痛専門医、抗加齢医学会専門医、総合内科専門医、リハビリテーション科専門医など、脳卒中の診療に関わる多数の資格を有するスタッフが揃っています。
急性脳卒中の治療において近年特に進歩したのは、血管内治療です。血管内治療とは、脳動脈瘤や脳梗塞などに対し、手術ではなく、血管造影の方法でカテーテルと呼ばれる細く長い管を血管内へ挿入し、その先端を脳血管まで推し進めて治療を行うものです、脳動脈瘤にはコイルを留置し、脳梗塞には血栓溶解剤などを閉塞した血管へ注入します。手術に比べ速やかに開始できますので救急患者に有用性が高く、また全身状態が悪くて手術できない患者などにも利用されます。

右図をご覧ください。本センターの前身、桑名西医療センター脳神経外科における血管内治療の年ごとの件数を示したものですが、年々件数は増え昨年度は 80 件を超えています。2013 年には濱田和秀先生、2017 年には阪井田先生と、それぞれ血管内治療を専門とする先生が着任されて件数が大幅に増加しました。

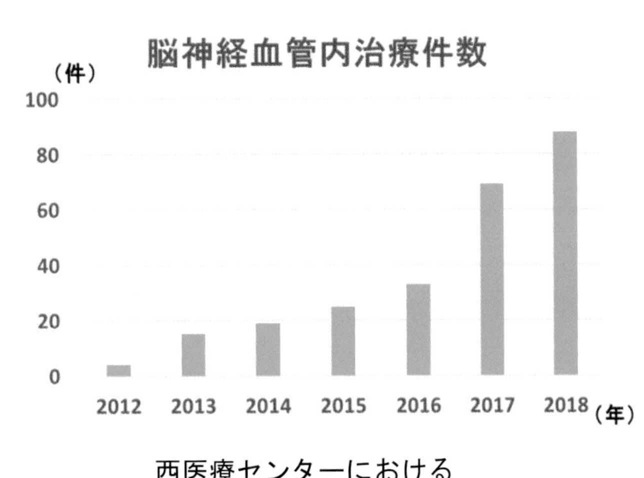

西医療センターにおける
脳神経血管内治療件数の年次推移

新病院となった 2019 年度は、5 月から 1 月までの実績で既に 78 件となっていて、三重県内の病院でもトップクラスの実績を誇っています。
救急医療に関しましては、救急隊と脳卒中ホットラインを開設し 24 時間 365 日の対応が可能な救急体制を整えています。そしてクモ膜下出血に対する脳動脈瘤コイル塞栓術、脳出血に対する内視鏡手術、超急性期脳梗塞に対する血栓溶解剤（rt-PA）静注療法や機械的血栓回収術などを積極的に行っています。脳卒中ケアユニットを含む集中治療室で厳重な管理が可能となって、血管内治療を行う環境が整い、件数が増加しました。
またモーニングカンファレンスや総回診、あるいは Stroke（ストローク）カンファレンスで、多職種のスタッフがお互い情報を共有しながらレベル．アップを図り、急性期治療からリハビリテーションまで質の高い医療を提供できるように心がけています。さらに市民への啓発活動や地域の医療機関との連携強化にも取り組み始めています。

桑員地区において脳卒中で苦しまれる方を少しでも減らしたい、脳神経外科医と脳神経内科医がスクラムを組んで頑張っています。どうぞよろしくご支援のほどお願い申し上げます。

脳卒中センターの先生方

タンポポと紅葉したスイバ

3月：梅

―早春の冴えた冷気に楚々と咲く　いにしえ人のほのかな香―

この3月も暖かく、「寒の戻り」と云える日も数えるほどしかありませんでした。まったく寒くないという訳ではありませんが、耐え難いほどの寒さではなく、このまま春になっていくのではないか、あるいは既に春になっているのかな？と疑いたくなるような日が続きました。そんな中、梅の花が咲き始めて満開となり、さらに桜まで蕾が膨らみ出しました。とうとう3月20日には日本で一番早く長崎で桜が開花し、翌21日の春分の日には福岡、東京も続きました。満開の梅に桜の開花、今年は梅と桜を同時に楽しめそうです。

日本の春を代表する2つの花、梅と桜、あなたはどちらが好きですか？3月2日の朝日新聞土曜特集に、「梅と桜、どちらが好きですか？」という読者アンケート記事が載っていました。回答者1820人のうち76%が桜、24%は梅と答えたそうです。ただしどちらも好きですが、強いてどちらかを挙げろと云われれば桜と回答した人も多かったそうです。
「それぞれの花の印象は？」という問に対し、梅では「可憐」「凛とした」「けなげ」などの形容語が、桜には「華やか」で「はかない」、「希望がある」「元気になる」「ウキウキする半面もの悲しくなる」などの言葉が並びました。
詩吟でよく歌われる新島襄の「寒梅」という漢詩があります。同志社大学で教鞭を取っている友人から教えて貰ったものです。

寒梅

新島襄

庭上一寒梅	ていじょうの　いちかんばい
笑侵風雪開	わらって　ふうせつをおかして　ひらく
不争又不力	あらそわず　またつとめず
自占百花魁	おのずからひゃっかの　さきがけをしむ

現代語訳　庭先に咲く一本の早咲きの梅
風雪を耐え、笑うように咲いている
争うことなく、力むことなく、
自然のままに、あらゆる花に先駆けて咲いている

古くより私たち日本人に親しまれて来た梅の花、桜の華やかさに比べて寒い中にもけなげに咲く清楚なイメージを抱く人が多いようです。

満開の枝垂れ梅が美しい鈴鹿の森庭園（赤塚植物園）

最近では紅白の梅を多数植えたテーマパークが人気を呼んでいます。

確かに夥しい数の梅の花がいっせいに満開となって咲いている様子は、桜と見間違えるほど色鮮やかで美しく、春がいっぺんに来たようで嬉しくなります。それはそれで素晴らしい景観なのですが、ただ私たちが今まで抱いて来た梅のイメージからは少し離れているような気がします。そこで今回は、里山や小さな公園の片隅でひっそりと咲く梅の木の写真を撮って来ました。

「梅の香のほのかに甘い里山を、とくとご覧あれ！！」と案内しているようです。

青空と緑の山を背景に咲く白梅。後出のゴッホ「すもも」の花の絵に似た感じがします。

満開の梅の花を逆光で撮影しますと、華やかさが増します。

紅梅の赤とサンシュユの黄が美しく調和します。

蔵の白壁に桃色の梅の花がよく映えます。

立ち並ぶ紅梅の大樹のもと、民家の静かなたたずまい。

一本の木に赤い花と白い花が同時に咲くことを源平咲きといい、梅や桃の木でしばしば見られます。全体の花の半分ずつ紅白に分かれるもの、一部の枝の花だけ色が変わるもの（写真上）、あるいは同じ枝にあっても一部の花の色が異なるもの（写真左）、など様々です。これは、以前「おしろい花」の項で勉強しました、動く遺伝子「トランスポゾン」の仕業によるものです。

寒い冬にあっても、青々とした葉の美しい松と竹、清楚な花を咲かす梅の三種、すなわち松竹梅を歳寒三友（さいかんのさんゆう）と呼びます。中国は宋時代に文人画の画材として好んで用いられ、そのまま日本にも伝わって水墨画や大和絵、文人画などに描かれて来ました。現代では松竹梅は上中下の等級を表す言葉として用いられていますが、なぜ松が一番上で梅が下なのでしょうか、よく分かりません。それはさておき、梅を描いた名画は数多ありますが、そのなかで最も有名なものの一つに、江戸時代の版画家、歌川広重(1797–1858 年)の「亀戸梅屋鋪」が挙げられます。江戸の亀戸八幡宮の裏手の梅園にあった梅の奇木を描いたものです。この梅は「臥龍梅」と呼ばれ、一本の枝が地を這ってどんどん伸び、至るところ根を張って枝を出しているもので、あたかも伏した龍のような姿であることからこの名が付きました。絵の中央前面に、その奇木の太い枝が堂々と描かれ、細く真っ直ぐ伸びた枝にちらほら白い花が咲いています。背景には、梅園で花見を楽しむ人々の姿

歌川広重　「亀戸梅屋鋪」名所江戸百景

ヴィンセント・フォン・ゴッホ「ジャポネズリー：梅の開花（広重を模して）」1887 年
ゴッホ美術館　アムステルダム

が小さく描かれています。この大胆な構図は衆目を集め、なかでもパリの画家たちにとって驚愕でした。ヴィンセント・フォン・ゴッホ（1853-90年）もその一人であり、右は彼が模写した油彩画です。1886年（明治19年）パリへ移住したゴッホは、多数の画家たちと交流を持ちながら絵の修業に努めます。日本の浮世絵には特に興味を抱いたようで、たくさんの版画を買い求め、この絵も含め3点の浮世絵を模写しています。浮世絵の持つ明るい色彩や大胆な構図などに強く影響されたのでしょうか、ついに1888年2月には、日本の明るい色彩を求めてアルルへ旅立ちます。アルルへ到着するや否や「ここは日本みたいに美しい。風景はまるで日本の版画を見るようだ。」と友人ベルナールに宛てて手紙を書いています。そして3月には、「アルルの跳ね橋」として有名なラングロワ橋を題材にした絵を数点描きます。また3月から4月

ヴィンセント・フォン・ゴッホ　「花咲くすももの木」　1888年
スコットランド国立美術館蔵

にかけてのアルル地方は、果樹園に杏や桃、りんご、プラム、梨などの花がいっせいに咲き、まさに花の祭典のような美しい世界が拡がります。ゴッホは、それらの花を猛烈な勢いで描き、15点もの作品を制作しました。前ページの絵は、「すもも」の花を描いたものですが、春はまだ浅いのでしょうか、白い雲の浮かぶ青空と地面には緑の草が拡がり、所々に白い花が咲いています。「すもも」の白い花は満開ですが、余り目立ちません。木の花は印象派のタッチで描かれていますが、よく見ると影がありません。青空なのに木の影が無いのです。これが浮世絵の画法を取り入れたゴッホの実験であり、太陽光の照らし出す光と影と色彩の世界を、見えるがままに表現しようとしたもので、初期印象派と一線を画するところです。私は以前よりこの頃描かれた果樹園の花の絵が好きでした。早春の凛とした空気の中で、余り目立つことなく咲く「すもも」や杏の花、それは日本の梅の花に似たところがあります。そこが日本人の心の琴線に触れるのでしょうか。それともゴッホが日本に憧れながら描いたからでしょうか。

さて病院の話題です。今回は当院の副院長であり、消化器センター長でもある石田聡先生に消化器センターをご紹介いただきます。

消化器センターは入院棟の８階(8 北、８南)を占める最も大きなセンターです。消化管（口腔、食道、胃、小腸、大腸)、肝臓、胆道、膵臓疾患の診断、治療を行い、消化器内科、消化器外科、口腔外科の専門医師が治療にあたります。とても広い領域におよぶ器官が対象なので、関連する疾患は多く、治療の選択も多岐にわたります。センターでは必要に応じ内科医と外科医が連携して一人の患者さんを診ますので、切れ目なく適切な治療が行われる様に努めています。右の写真は、合同カンファレンスに集まった口腔外科、消化器内科、消化器外科、放射線科、病理断科などの先生方です。

口腔外科は桑員地区唯一の病院口腔外科として、消化管の入り口である口腔（くち)・顎（あご)・顔面（かお）の様々な疾患や病態

に対して診断や評価を行い、手術をはじめとする治療を行っています。顎炎などの炎症性疾患や顔面骨骨折などの口腔顎顔面外傷などの急性疾患に関しても、積極的に対応しています。また放射線治療部と連携して、口腔癌治療も開始しており、今後はより積極的に対応していく予定です。

消化器内科では泉道博部長に加え、平成30年春より浦吉俊輔医長が着任し、胃や大腸などの消化管早期がんに対する内視鏡的粘膜下層剥離術（ESD）の件数は2倍に増加しました（図1）。ESDでは、これまで外科手術としていた大きな病変を、低侵襲な内視鏡で治療することが可能となりますが、その分、高度な技術が必要となります。新病院では、ESD施行可能な専門医師の増員とマルチベンドスコープなど治療に特化した内視鏡スコープを導入し診療体制を整えて参りました。

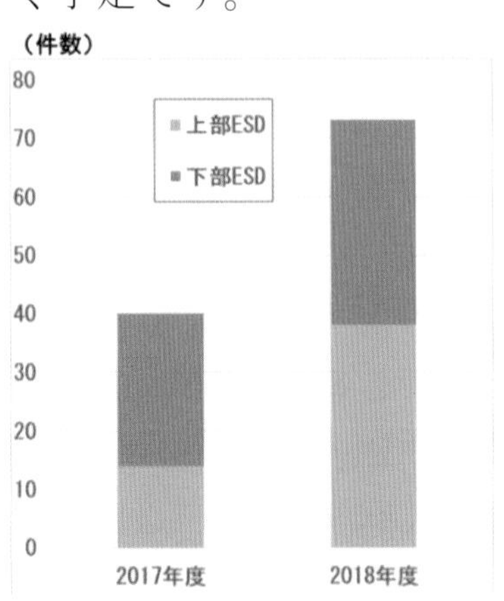

図1）消化器内科におけるESD件数

また早期肝臓癌に対しては、放射線IVR科と協力し病巣部を穿刺し熱を加えて焼却する治療（ラジオ波熱焼灼術）を行なっています。

消化器外科では手術診療を主に行いますが、進行がんなどに対してはガイドラインにのっとり化学療法、放射線治療を手術とともに計画します。食道癌、胃癌、大腸癌、胆嚢結石、虫垂炎、鼠径ヘルニアなどに対して腹腔鏡（鏡視下）手術の割合が増加しています。また乳腺専門外来を開設し、乳がん手術、乳房形成術も積極的に行なっています。図2は新病院開設後の外科手術数の昨年度と比較したものです。

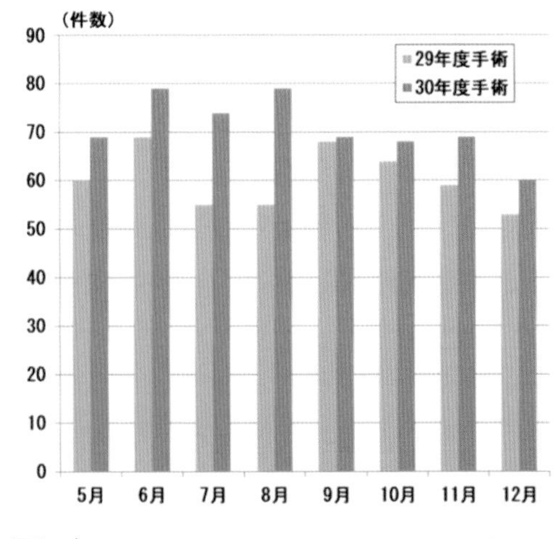

図2）消化器外科における手術件数

全国的に医師数が減少傾向にあるなか、三病院の統合により人的物的に環境改善が得られ、吐血、下血といった消化管出血や閉塞性黄疸、急性腹症などの消化器領域の救急に対しても、より積極的な対応が可能となりました。桑員地区の消化器領域の医療レベル向上を図るため、皆が力を合わせ取り組んでおります。今後ともよろしくご支援のほどお願い申し上げます。

4月：からすのえんどう

―うららうらと　野花の賑わい　揚げ雲雀―

れんげ畑と遠い街並を背景に立ち並ぶカラスノエンドウ。滅多に主役にならないからでしょうか、表情はいささか戸惑い気味です。

今年の桜は、今一つはっきりしませんでした。3 月中旬まで暖かかったため全国的に桜の開花が早く、津気象台は 3 月 28 日津市の桜開花を宣言しました。平年より 2 日早いとのことでした。その後急速に開花が進み、五分咲きほどになった頃でしょうか。4 月第 1 週の低温の影響で、桜はなかなか満開になりません。そのままずるずると長く咲き続け、何時満開になったのか分からないまま散って行きました。4 月 11 日より横浜へ出張しましたが、例年であればとっくに散っているはずの桜が、まだ所々に残っていました。いつも東京や横浜の桜は三重県より早く咲き早く散るのですが、4 月中旬になっても残っていたのです。恐らく４月初めの低温が影響したものと思われますが、今年の桜はどうもはっきりしなかったようです。

そんな天候のはっきりしない春の始まりでしたが、いろいろな野草は遅れることなく着実に芽を出し花を咲かせ、野や畔を賑やかに彩ります。なかでもカラスノエンドウは、寒かろうが雨が降ろうがビクともせず、どんどん増えて庭や野を埋め尽くします。あきれ返るほどの増殖力です。庭掃除で、抜いても抜いても涼しげな顔をして生えてくるカラスノエンドウに手を焼かれている方も少なくないと思います。今回は、そのやっかいものカラスノエンドウです。

カラスノエンドウはソラマメ属の植物で、植物学的にはヤハズエンドウと呼ばれるそうです。春先、小さいながら赤紫色の美しい花を咲かせますが、その旺盛な繁殖力により雑草として刈り取られます。カラスのエンドウの群の中で一緒に咲いている近縁種としてスズメノエンドウとカスマグサがあります。今回は、これら３種の野草の区別の仕方を中心に話を進めます。

３種の野草の比較（赤矢印：花、青矢印：花の柄、緑矢印：葉の先端の髭）

上の写真は、３種の野草を並べて撮影したものですが、比較すべきポイントは、(1)花や葉の大きさ、(2)花の付き方、(3)葉の先にある髭（ひげ）の形状です。

まず花や葉の大きさですが、大きいものから順にカラスノエンドウ、カスマグサ、スズメノエンドウとなりますが、カラスノエンドウの花や葉は、他の二種と比べ桁違いに大きいことが分かります。カスマグサはカラスのエンドウとスズメノエンドウの中間に位置するというので、カラスの「カ」とスズメの「ス」のあいだ（間）の「マ」を合わせてカスマグサとなったそうですが、大きさから云えば中間というよりもずっとスズメノエンドウに近いようです。実際に咲いている花を比較した写真を下に示しますが、カラスノエンドウの花に比べ他の 2 種の花が如何に小さいか、よく分かると思います。

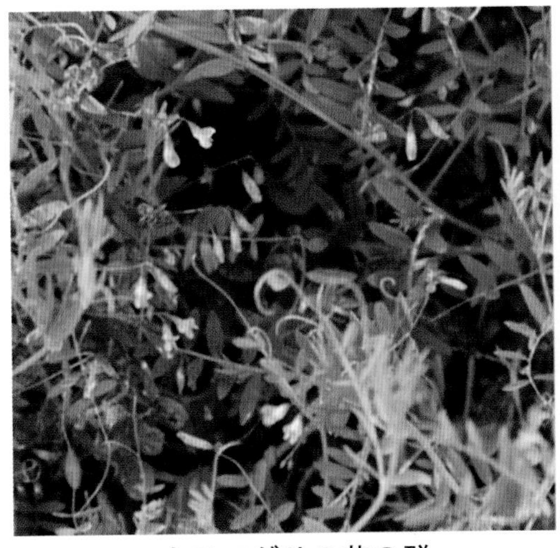

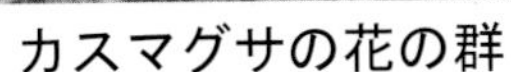
カスマグサの花の群

スズメノエンドウの花の群

スズメノエンドウやカスマグサの花は、てんとう虫よりまだ小さいぐらいですので、群になって咲いているところを遠くから見ると、白い点々が散らばっているようにしか見えません。

花の付き方や葉の先端の髭の形状に関しましては、次ページの写真をご覧ください。

まず花の付き方ですが、カラスノエンドウでは、花が葉腋（葉の茎への付け根部分の内側面）から直接出るのに対し、スズメノエンドウやカスマグサでは、葉腋から伸びた柄の先端に付きます。次いで葉の先端から伸びる髭は、カラスノエンドウやスズメノエンドウでは何本にも枝分かれしますが、カスマグサでは１本です。

カラスノエンドウ　2〜3 個の赤紫色の花が、葉腋（黄矢印）から直接出ます。葉の先端の髭（緑矢印）は数本に分枝します。

スズメノエンドウ　葉腋から伸びた柄（青矢印）の先に、4〜6 個の青みがかった白い花をつけます。葉の先端の髭（緑矢印）は数本に分かれます。

カスマグサ　2個の青紫の花が、葉腋から出た柄（青矢印）の先につきます。葉の先端の髭（緑矢印）は1本です。　花弁には赤紫の縦縞模様がみられます。

最も良く見かけるのはカラスノエンドウ、次いでスズメノエンドウで、カラスノエンドウの大群落の中に、スズメノエンドウが幾つも群れを作って咲いているのをよく見かけます。一方カスマグサもカラスノエンドウの集落に混じって咲くことが多いようですが、その数は少なく花も小さいため、見つけるのはしばしば困難です。そこでスズメノエンドウやカスマグサを探すためには、これらの葉はカラスノエンドウの葉に比べ少し黄緑がかっていますので、カラスノエンドウの深緑色の大群の中に黄緑色の部分を見つければ、そこに群を作っている可能性があります。またカスマグサはスズメノエンドウと一緒に生育していることもよくあります。比較的探しやすいスズメノエンドウを最初に探し、見つけましたら、同じように小さな花で赤紫色っぽいものを探せば見つかることがあります。

春の野は、お馴染みのれんげ草やタンポポの他に、彩り豊かな小さな野草で溢れていて、嬉しくなります。特に、黄色い野草が何種類も咲き、私たちの目を楽しませてくれます。

ムラサキサギゴケの群の中で一人咲く
オオジシバリ

コメツブツメクサの黄色い小さな花の
大群に囲まれて咲くシロツメクサ

れんげ畑の美しい春の野。はるか彼方に霞む山々。青空に鳥が二羽飛んでいきます。

一方、楽しく賑やかな春の野も、その遥か遠くに青空を見上げれば、何となくもの哀しい気持ちになることがあります。5 月 1 日から新元号「令和」が始まりましたが、その出典が万葉集ということで、今、万葉集が大ブームになっているようです。私は若い頃、万葉集の中の大伴家持の和歌が好きでした。高校時代の国語の教科書に載っていたものです。

うららに　照(て)れる春日(はるひ)に　雲雀(ひばり)あがり

情悲(こころかな)しも　独(ひと)りしおもへば

大伴家持（巻 19・4292）

齊藤茂吉の訳です。「麗らかに照らしておる春の光の中に、雲雀が空高くのぼる、独居して物思うとなく物思えば、悲しい心が湧くのを禁じ難い」（斎藤茂吉著、万葉秀歌、岩波書店）。万葉集には、恋人に贈る相聞歌や亡き人を偲

揚げ雲雀

ぶ挽歌のように、相手を意識して作られた歌が多いのに対し、この歌では自身の悲しい心持を独詠的に表現しています。そこがこの歌の特異的なところだそうです。実は家持は、この歌を詠む2日前に、春の夕べの寂しさを詠った歌を2首作っていて、万葉集に並べて収載されているのですが、これら3首をまとめて「春の愁い」の歌と呼ばれます。

春の野に　霞たなびき　うらがなし
この夕かげに　うぐいす鳴くも　（巻19・4290）

わが宿の　いささ群竹　吹く風の
音のかそけき　この夕かも　（巻19・4291）

春の愁いと云っても、夕方ならば理解できますが、春の陽が照り、雲雀がけたたましく鳴きながら大空高く昇っている日中に、愁いを感じるのです。打ち解けて話し合える友人も家族もいなく、一人で閉じこもっている時に感じる孤独感、寂寥感のようなものでしょうか。その頃の大伴家は、藤原家との政争で不利な状況にあり、大伴氏の長であった家持が苦悩を抱えていたことも、この歌を作る動機になったと云われます。しかし「こころ悲しも　ひとりしおもへば」という表現には、人間の日常的な感情を超えた、さらに深奥にある根源的な人生観のようなものが示されているように思います。それを斎藤茂吉は、「支那の詩のおもかげであり、仏教的静観の趣でもある」と評し、日本の古典文学に造詣の深い坂口由美子氏は「何かひどく近代的な感じがする・・・人間存在それ自体のかなしみに通じるような気がする」

雲雀（ひばり）

（坂口由美子著、万葉集　角川ソフィア文庫）と述べています。このような愁いや孤独感は、私たちの青春時代にも誰もが、多かれ少なかれ感じていたのではないでしょうか。なぜかしら常に心は満たされず、嬉しいことがあっても心底喜べない、昔は疎外感と云ったのでしょうか。そのため学生運動にのめり込んでいった仲間もいたと思います。私はノンポリでしたので、本でも読んで過ごすことにしていました。その頃読み耽っていたのが川端康成です。川端文学には、「生きることの哀しみ」や、「宿命を素直に受け入れることの美しさ」のようなものが描かれていると思ったからです。そして私は、この愁いは、社会へ出て、生き甲斐のある仕事に打ち込めば忘れていくのだろうと考えていました。それから半世紀近く、私たち団塊の世代は、それなりに一生懸命働いて来ました。そして今、古希を迎え、残り時間の少なくなった私たち、果たして心の中ではどう感じているのでしょうか。

一方、春の雨には、冷たく少し寂しいけれど何かあたたかいものがあります。長かった冬が終わり、ようやく春になって、しとしと降り出した雨、冷たいけれど冬のように厳しいものではなく、何か私たちの体をあたたかく包み込んでくれるような、やさしさを感じます。そんな雨の夜は、早々に布団に潜り込み、静かに雨音を聴きながら、そのまま眠り込んでしまいたいと思います。学生時代に三島由紀夫の小説（題名を忘れましたが）を読んでいて、春の雨を描写する一節がありました。突然、物語に何の関係もなく子犬が登場します。雨に濡れながら道路を歩いている子犬が、ブルブルと身震いをして体についた雨水を振り払う様子を描写したものですが、春の雨の冷たいながら、やさしくあたたかい感じが、実に巧みに表現されていて、「さすが文豪！」と感心しました。それから 20 年程経ったある日、テレビのコマーシャルで、雨に打たれながら街中をさまよい歩く子犬が登場しました。1981 年に放映されたサントリーはトリス・ウィスキーの宣伝です。場所は京都、季節は春だと思います。一匹の子犬が、街中を大勢の通行人の足元をくぐり抜けるようにして小走りに駆けています。雨が降って来て、びしょびしょになりながらも走り続けます。お寺の大きな門

の下でジョギングの青年と一緒に雨宿りをします。雨も上がり、またとぼとぼと歩いて行きます。そして次のナレーションで終わります。

いろんな命が生きてるんだな
元気で、とりあえず元気で
みんな元気で
トリスの味は人間味

雨に打たれながらも、けなげに走る一匹の子犬をやさしく映像化したこのCMは大評判となり、1981年のカンヌ国際広告映画祭CM部門の金賞を受賞しました。ビリーバンバンの弟の菅原進氏が音楽を担当したことも話題となりました。このCMを見た時、すぐに三島由紀夫の小説を思い出しました。今でもYou Tubeで見られますので是非ご覧ください。

さて病院の話題です。今回は、腎臓内科部長である安富眞史先生に、改修された西棟に新設されました透析室について紹介していただきます。

透析室は、新病院完成から遅れること6か月、2018年10月1日に旧病棟の 4F を改装し移転しました。病棟として働いていた時と同じとは思えないぐらいきれいになり快適となりました。透析の機械も新規導入され最新の透析医療が提供できるようになり、ベッド数も若干ですが増加して 50 床となりました。新しい透析室で現在130名近くの維持血液透析患者様の治療に当たらせていただいており、また山崎病院さんやくわな共立クリニックさん、いなべ総合病院さんなどの透析患者さんで、入院が必要となった場合などの臨時透析も行っています。

ハード面が充実しただけではなく、現在当院透析室には、腎臓内科医4名、看護師15名、臨床工学技士5名が所属しています。

腎臓内科では24時間の待機態勢をとり、夜間の緊急透析や、大手術の後などの急性期治療の一環とした持続血液ろ過透析なども積極的に行っています。また近隣の施設で腎不全や急性腎炎の患者が発生した場合には、できる限りその当日に受け入れています。

2017 年 1 月に加納智美副看護師長に来ていただきました。加納副師長は日本フットケア学会副理事長(現在は理事)を務めるなど、フットケアの分野では日本を代表する実力者です。当院でも加納副看護師長、杉山看護師をはじめとする院内のフットケアチームで透析患者さんのフットケアを精力的に行っていただいています。当院ではシャント管理にも力を入れており、シャント経皮的血管形成術だけでなく腎臓内科でシャント造設術も行っています。シャント造設から管理までTotalで提供できる環境が自慢です。いろいろ透析室の取り組みについて話をさせていただきましたが、患者さんにとって1番のメリットは、総合病院でありながら維持透析を積極的に行っている点と思っています。シャント閉塞などのトラブルが起こってもすぐに治療が受けられる、入院が必要な病気となってもすぐ入院ができる、循環器科・脳神経内科の診療科も揃っており、総合病院ならではの環境が整っています。

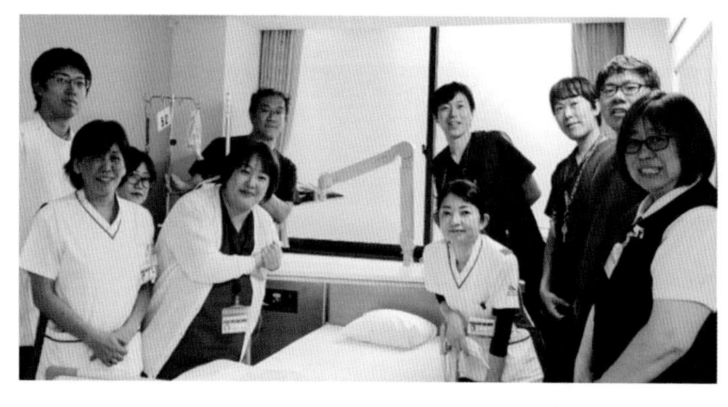

透析室のスタッフの皆さん

2019年3月31日をもって岩谷前透析室看護師長が定年で勇退されました。清塚新看護師長の下、私たちスタッフ一同、透析医療に対する専門性をよりいっそう磨き、透析患者さんに単に透析を提供するだけでなく、桑名市総合医療センター透析室で透析を受けて良かったと思われるような透析室を作っていくことを目標に全力で取り組んで参ります。

5月：夕化粧（ユウゲショウ）

―はたしてお化粧するのは何時でしょうか？―

湯上りの少女のように可憐で艶やかに咲く夕化粧。隣には白い宝石が輝きます。

今年の 5 月は、平成天皇がご退任になり、新しく令和天皇が着任されて年号の改められた歴史的な月でした。その式典もあって 10 連休という、かってない長い休みで始まりましたが、如何お過ごしでしたか。医療界においても、日本中の病院や診療所がいっせいに 10 日間休診となったらどうなるか、医師会や病院協会もずいぶん心配し、地域医療圏ごとに救急患者の受入れに支障のないように輪番制を再確認するなど、半年以上も前から対策を練って来ました。結局多くの病院では 10 日間のうち 1 日か 2 日開院することで臨みましたが、幸い大きな混乱もなく終わり、ほっと安堵致しております。

さてそんな連休の間、5 月の花は早くから「つつじ」にしようと決めていました。3年前の5月、「つつじ」にする積りでたくさん写真を撮っていたのですが、一緒に咲いていた「すいかずら」の方に目を奪われてしまい、急遽変更したことがありました。それで今年こそは「つつじ」で行こうと決めていたのです。

連休の後の良く晴れた休日の午後、いつものように自転車で郊外の田園地帯を走っていました。今月の花が決まっていない時は、良い花はないかとあちこち必死になって探しながら戦々恐々として走ります。しかし既に花も決まり写真もありますので、気持ちに余裕があります。泰然として黄や白の野の花を一つひとつ確かめるようにしながらゆっくり走っていました。すると余り見かけない桃色の小さな花が群れて咲

いています。単なる雑草ではなく、由緒ある（？）花のように見えます（雑草には申し訳ありません）。街中の道端や公園でよく見掛ける桃色の昼咲き月見草を二回りも小さくしたような花です。「ひょっとすると夕化粧？」と直感しました。帰ってネットで調べてみますと間違いありません。２年前の6 月に昼咲き月見草を特集した時に勉強した夕化粧です。翌日も自転車で出掛け、桃色の花を探しながら走っていますと、田圃の脇を走る用水路の水辺など、ぽつぽつと咲いています。花が小さいため緑の草に覆われて、よくよく注意していないと見逃してしまいます。今まで気が付かなかっただけなのでしょうか。世紀の大発見をしたような気になってすっかり嬉しくなりました。それでまたしても「つつじ」には申し訳ないのですが、今回も夕化粧とさせていただくことにしました。

夕化粧（ユウゲショウ）は、アカバナ科マツヨイグサ属の多年草です。オシロイバナを夕化粧と呼ぶことがあり、それと区別するためアカバナユウゲショウとも云われます。南アメリカ原産で明治時代に日本へ渡来し野生化しました。

茎は叢生（根元からたくさんの茎が群がって出ること）し、茎の先端近くの葉腋（茎から葉の分岐する部分の内側）から花柄が出て、その先に花が付きます。花の大きさは直径約 10～15mm で、昼咲き月見草の 50～60mm に較べますと約 1/3 ほどです。

茎は叢生します。

濃い桃色の花弁は 4 枚で、毛細血管のような紅色の筋が透けて見えます。「おしべ」は8本、先端にある葯は白色です。「めしべ」の柱頭は四方に分かれて十字架のように開きますが、これはマツヨイグサ属に共通する特徴です。

夕化粧

昼咲き月見草

マツヨイグサや昼咲き月見草では非常に目立つ十字架ですが、夕化粧ではよく見えないことがしばしばあります。正面からでは「めしべ」が有るのか無いのかさえも分からないほどです（写真右、黄矢印）。少し横から眺めますと、柱頭の十字架がほとんど開いていないか（写真下左）、あるいは半開きになっている（写真下右）ことが分かります。これらの柱頭は時間が経てば開くのか、あるいはこのままで終わるのか分かりません。

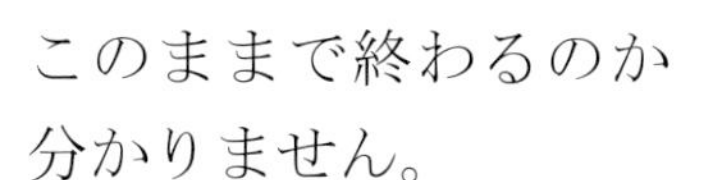

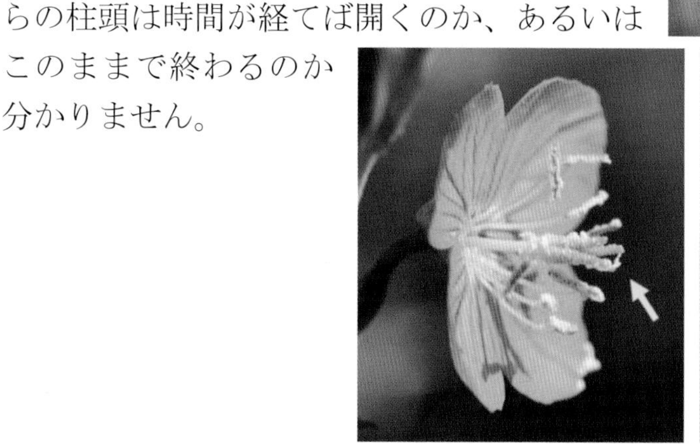

面白いのは萼の形です。萼片およびその先端にある萼裂片は合着して、三角形の袋状になっています。

夕化粧は謎の多い花です。名前からして夕方咲く花という感じがしますし、ネットでも夕方咲いて朝しぼむとあります。それを受けて私も 2 年前に夕化粧のことを書いた時は、夜咲くとしました。しかし昼間咲く、あるいは昼も夜も咲くと記しているものもあります。また夜、昼いつ咲くにしても、花は 1 日だけ咲く一日花なのか、あるいは 2、3 日咲き続けるのか、それさえはっきりしません。そこでまず花は夜咲くのか、昼咲くのかという疑問についてです。左の 2 枚の写真をご覧ください。上はある日の夕刻、下は翌日早朝に撮影したものです。夕方には、画面右下方の黄矢印で示した花を除き、ほとんどの花は萎んでいますが、翌朝には見事に咲き揃っています。さらにいろいろの場所で何日も観察したところ、花の萎むのは、夕方というよりもまだ陽の高い午後 2 時か 3 時

前日夕撮影（5 月 17 日 18 時頃）

早朝撮影(5 月 18 日 6 時 30 分頃)

を過ぎる頃でした。また、ここに掲載した花の咲いている夕化粧の写真は、ほとんど午前 10 時前後に撮影したものです。すなわち夕化粧の花は早朝から午前中咲き続け、午後になると早々に閉じてしまうのです。

次に一日花かそれ以上咲くのかという疑問です。前ページの写真をもう一度ご覧ください。もし一日花であれば、翌朝咲いた花はすべて新しい蕾が開いたことになります。すると前夜に見られたしぼんだ花がもっと多く残っていても良いと思うのですが、余り見られません。さらに前ページの写真の右下の部分を拡大して細かく調べてみました。まず翌朝開いた花のうち青矢印で示した 2 個の花をご覧ください。前日夕方の写真を見ますと、上は新しい蕾のようですが、下は萎んだ花のように見えます。また赤矢印は、前夜も翌朝も萎んだままの花です。

一方黄矢印は、前日夕方になっても開いたままの花で、翌朝には萎んでいます。「夕化粧は確かに昼咲くが、夜咲くものもある」と云うのはこのような花を指しているのではないでしょうか。

前日夕方撮影（5 月 17 日 18 時頃）

翌朝早朝撮影（5 月 18 日 6 時 30 分頃）

そこで私の推論です。「翌朝開く花は午後になると早々にしぼみ、翌朝の開花を待つ。一方夕方遅くまで咲く花は、翌朝には萎んでしまい、そのまま開かずに終わる」。もちろん、もっとたくさんの花を、しかもきちんとマーキングして観察しなければ結論は出せませんが、私には一日花ではないような気がしてなりません。日本帰化植物写真図鑑第 2 巻増補改訂版（植村修二他編著、全国農村教育協会 2015）によれば、次のように記されています。

「5 月から 6 月にかけてユウゲショウの新しい花は、未明の 4〜6 時頃開いた。しぼむ時刻にはばらつきがあったが, 夕方 6 時から 8 時が多く、7 月に入って暑くなると早くなった。ごく少数ではあるが、夕方しぼまず翌日午後まで開いていたものもあった。ユウゲショウは、ほとんどが未明から夕方までの一日花といえる」。しかし「年間でみると平均的には 2 日花で、これには日中の日光量や気温などが関係するとする報告もある」と追記しています。身近な花でありながら、その生態が十分に解明されていないということが、まだまだあるのですね。

さて夕化粧と云えば、湯上りのイメージです。私たちの子供の頃は、夏の日には風呂から上がった後「てんかふ」と呼ばれるサラサラした粉を、額や頬、首筋などに塗って貰いました。あせも防止のためで、その甘くやさしい香りを今でも懐かしく覚えています。また母が、生まれて間もない弟の「おむつかぶれ」を防ぐために、パフの表面に塗った「てんかふ」を、パンパンパンとはたくようにしておしりに塗布している様子をよく見ました。弟も実に気持ち良さそうでした。「てんかふ」とは漢字で天花（爪）粉と書き、正式には「てんかふん」と読みます。キカラスウリ（黄烏瓜）の根にあるでんぷんを粉にしたものです。私の育った津市では「てんかふ」で通っていましたが、「てんかふん」と呼んでいた地方もあるそうです。あなたの地方では如何でしたか。江戸時代の昔から使われて来た「てんかふ」ですが、今はほとんど見かけなくなりました。

キカラスウリの花

夕化粧と云うと、湯上りに化粧する女性像を想い浮かべる人も多いと思います。古今東西数多の画家が風呂上りに化粧する女性を描いていて、数々の名作も生まれています。ネットで調べても、余りにも多過ぎて戸惑ってしまいます。そこでその中から二人の画家の作品を紹介したいと思います。一人は、明治から大正時代にかけて活躍した日本画家、橋口五葉(1880 または 81〜1921 年)です。鹿児島に生まれ、19 歳の頃画家をめざして上京し、東京美術学校を卒業しました。雑誌「ホトトギス」の挿絵を描いていたことなどから漱石と知り合い、「吾輩ハ猫デアル」から「行人」まで漱石の著作の装丁を担当しました。その他多くの作家の作品の装丁を手掛け、装丁画家として名を成します。

橋口五葉　髪梳ける女　木版画

町田市立国際版画美術館蔵

35 歳頃より木版画の制作に取り組み、同時に歌麿などの版画の研究に打込んで多数の美人画を描き、「大正の歌麿」と称せられます。「髪梳ける女」は 1920 年、死の前年に描かれた木版画で、湯上りの若い女性の髪を梳く姿が美しく描かれています。

もう一人は、フランスの画家ピエール・ボナール(1867〜1947 年)です。印象派後期のナビ派に属し、色彩の美しいこの画家の存在を知ったのは、高校時代です。今は故人となった画家志望の親友がいて、大のボナールファンでしたので感化されました。ボナールの絵の素晴らしさは、何といっても色彩の美しいことにあります。平面的な構図に穏やかな色調を組み合わせて描かれるボナールの絵画には、一種独特の調和があり、見る者に不思議な安堵感を与え、幼い頃の記憶が蘇って来るような懐かしさを覚えます。
ボナールは、ナビ派の中でも特に日本絵画の影響を強く受け、「日本かぶれのナビ派」と称されたほどでした。平面的な画法もその一つですし、掛け軸や屏風絵を模した極端に縦長の人物画も描いています。

ピエール・ボナール　化粧
オルセー美術館蔵

モデルはほとんど妻のマルトということですが、彼女が無類の入浴好きだったため、浴室での情景を描いた絵が多いそうです。

19 世紀後半から 20 世紀前半、産業革命により世の中がどんどん変化し、いわゆる「世紀末」と呼ばれた、不安と期待に満ちた時代に生きたボナール、妻や家族の一瞬の美しい姿をキャンパスに封じ込めるように、やわらかな色彩で描き続けました。

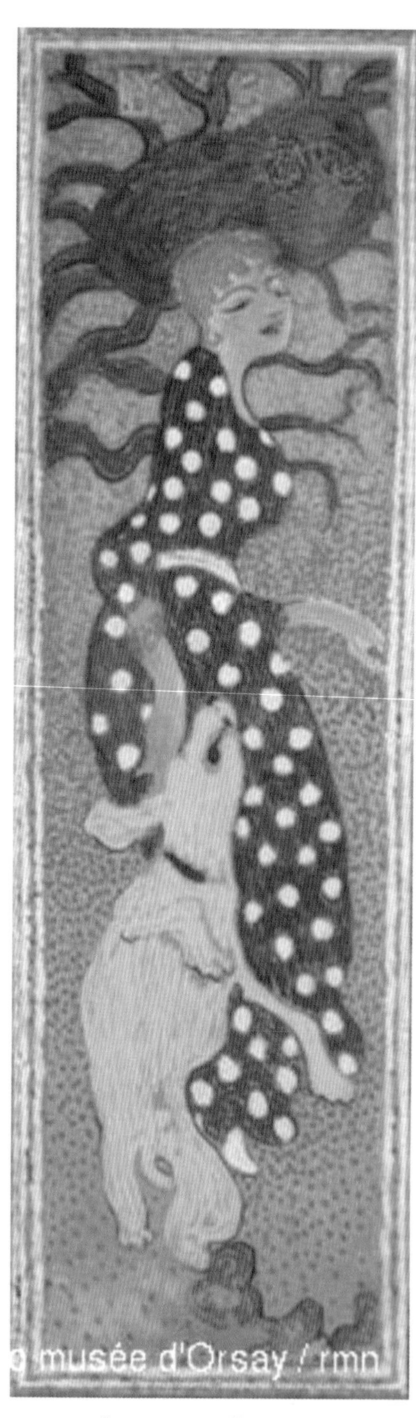

ピエール・ボナール
白い水玉模様のドレスの女
オルセー美術館蔵

さて病院の話題です。今回は、昨年末に改修工事の終わった西棟 3 階に開設されましたキッチンスタジオについて、栄養管理部の管理栄養士である石咲朋子さんに紹介していただきます。

高血圧や糖尿病などの患者さんにおいては、食事療法が大切なことは云うまでもありません。患者さんはもとよりご家族の方にとっても、家庭での毎日の食事をどのように計画し調理するかは大きな問題です。そのために栄養指導が行われていますが、講義だけの指導しかできません。管理栄養士の指導のもとに、患者さんやご家族の方が実際に調理し一緒に試食していただくことにより、治療食に関する理解が深まり、家庭でも簡単に作れるようになるものと期待されます。そこで桑名市総合医療センターでは、調理実習の場を提供するために、病院としては珍しいシステムキッチンを整備したキッチンスタジオを開設しました。

そのオープニングを記念して、1 月 18 日にはミシェランガイドで一つ星に輝いた桑名市内の寿司店「平和寿司」の女将さんをお招きし、高血圧の患者さんやご家族の方を対象に減塩寿司の調理実習をしていただきました。

また 4 月 22 日(月)には、今年度第 1 回目の糖尿病教室が開催されました。たくさんのご応募をいただき、10 日前に申し込みを締め切らせていただくほど大盛況でした。今回は「糖尿病食事療法の基本」をテーマに医師、看護師の講義と、管理栄養士の実技指導の後に、参加者はグループごとに盛り付け実習があり、その後一食分の試食が行われました。簡単に美味しく食べる糖尿病の食事として、メニューはご飯、鶏肉のビネグレットソース、もやしのナムル、沢煮椀、いちごで、全エネルギー量は 505kcal でした。参加者からは「糖尿病患者食はあまり食べられないと思っていたけど、なかなか量があって食べ応えがある(70 代女性)」「野菜がたくさん入っていていい。特に沢煮椀の野菜が細かく切ってあってすごい(70 代女性)」「ナムルが気に入った。家で早速作ってみる(50 代男性)」等の意見が聞かれました。参加者同士の会話も盛り上がり和やかなひと時でした。

当センターでは、糖尿病教室のほかに「減塩教室」「肝臓病教室」「嚥下教室」を定期的に開催しております。その詳細な日程など、ご質問がありましたら、気軽にスタッフにお声掛けください。問合せ先は、桑名市総合医療センター栄養管理室（TEL 0594-22-1291）です。一人でも多くの皆様のご参加を心よりお待ち致しております。

栄養管理室のスタッフの皆さん

6月：野あざみ

―古墳跡の木陰に忍ぶ、いにしえ人のつつましさ―

木漏れ日を受けて秘かに輝く野あざみの花

今年の梅雨は、久し振り梅雨らしい梅雨です。殊に6月下旬から7月上旬にかけて伊勢地方ではお日様は時たま顔を出すだけで、ほとんど小雨混じりの曇、時にまとまった雨が降りました。東京では、日照時間が3時間以下の日が17日間も続き、これは昭和63(1988)年以来のことだそうです。家の中は、じめじめとし、どんより曇った空を見上げては洗濯好きの私はため息をつきます。夏野菜の発育は大丈夫でしょうか。そんな何となく憂鬱な気分が続いていたある日、7月5日、嬉しいニュースが飛び込んで来ました。大阪にある百舌鳥・古市古墳群（もず・ふるいちこふんぐん）が、ユネスコの世界遺産に登録されたというのです。大阪としては初めての登録ということです。百舌鳥・古市古墳群とは、大阪府南部の堺市、羽曳野市、藤井寺市にまたがって分布する墳墓群で、古墳時代最盛期の4世紀後半から5世紀後半にかけて造られたものです。今回は45件49基の古墳が登録対象となりました。

古墳の形には、円墳（円形のもの）、方墳（四角形のもの）、前方後円墳（方墳と円墳を組み合わせたもので鍵穴形となる）、帆立貝形墳（前方後円墳の一種で、前方部を小さくしたもの）の4種がありますが、ここにはそのすべての形があり、全国に20万基あると云われる古墳のモデルになったと言われています。身分の高さによってその規模と形が決められたそうで、日本で最大の前方後円墳として有名な仁徳天皇陵古墳は、この古墳群の中心に位置するものです。

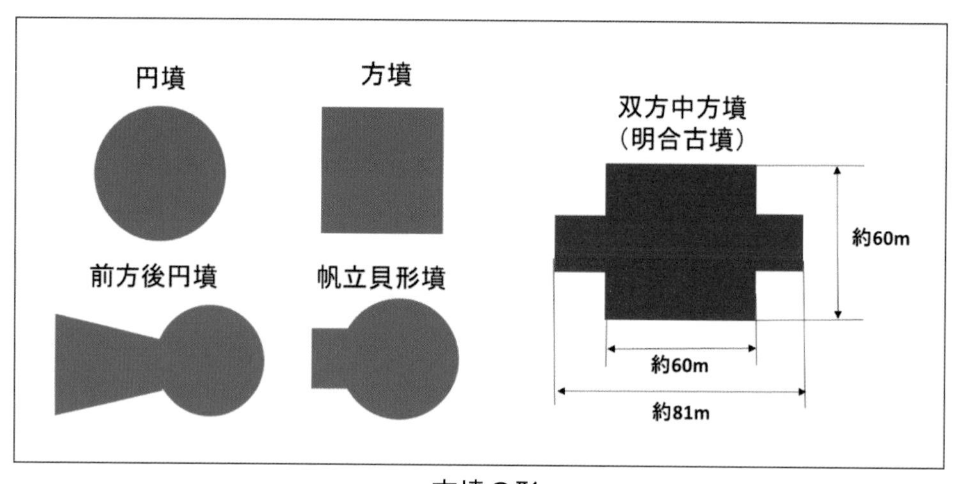

古墳の形

一方、津市の郊外西方にも古墳があります。明合（あけあい）古墳と呼ばれ、昭和24年（1949年）津高等学校の地歴部の生徒が発見し、3年後に国の史跡として指定されました。古墳時代の中期前半に造られたもので、規模は大きくありませんが、方墳を組み合わせた双方中方墳という全国的にも珍しい形をしています。現在は公園の一部として市民に開放されていますが、その東側にはたくさんの桜の樹が植えられていて、春には桜の名所として賑わいます。毎年、桜が終わり葉桜の美しくなる頃、うっそうと葉の繁った木陰に、野あざみの花が群れて咲きます。私は、あざみは日向を好む植物かと思っていましたが、ここの野あざみは日蔭を好むのです。古墳の頂部や南や西側斜面の日当たりの良い場所にはほとんど育たず、東側の桜の木陰の薄暗い場所に好んで咲いています。したがって遠くからでは、野あざみの群は葉陰に隠れてしまい、見ることはできません。薄暗い葉桜の林の中へ足を踏み入れてみて、初めて野あざみの青紫の花の群を眼にすることができるのです。

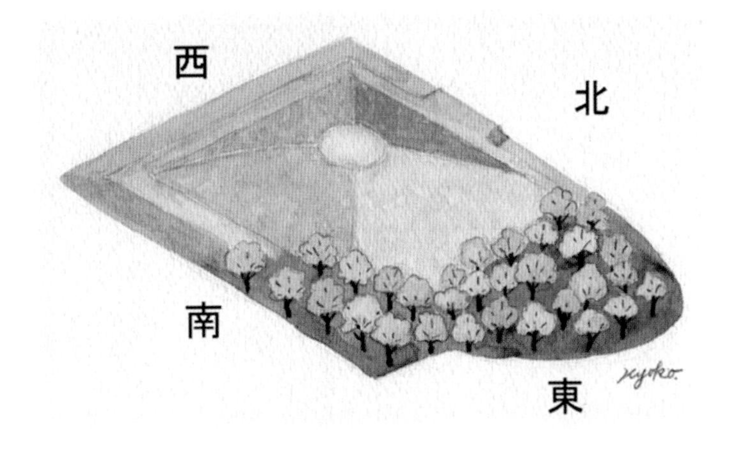

明合古墳

はじめて見た時は驚きました。なぜこのような日蔭で秘かに咲いているのでしょうか。まるで人目を忍んで暮す平家の落人のようです。いったい古墳にはどのような人が祀られているのでしょうか。その人の想いを、長い間ずっと秘かに守っているのでしょうか。ともあれ今回はその野あざみです。

木陰で群れて咲く野あざみの青紫の花。木漏れ日が当たれば桃色に光ります。

真っ直ぐに伸びた細い茎とぼんぼりのような青紫や桃色の花が美しいコントラストを描きます。

「あざみ」の仲間はキク科に属し、北半球の温帯から寒帯にかけて広く分布しています。その種類は300種ほどあると云われ、日本にも60種以上あるそうです。私たちに最も親しまれているのはノアザミ（野あざみ）ですが、本州から九州までどこでもみられます。

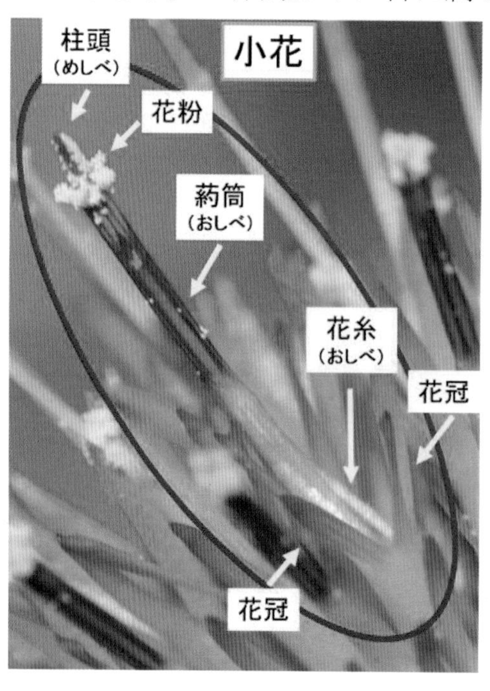

キク科の花の特徴は、小さな花（小花）がたくさん集まって一つの花を形成することで、これを頭状花序と言います。「あさみ」の小花は筒状花だけから成り、左の写真の赤丸で囲んだ部分が野あざみの小花です。開いた花冠（花びら）の中央から真っ直ぐに伸びる「おしべ」、「めしべ」の先端部であ

る柱頭、それに花粉が見えます。「おしべ」は5本ですので花糸も5本ありますが、「おしべ」の先端の葯は合着して黒っぽい筒となり、葯筒と呼ばれます。その中を「めしべ」の花柱が走り、その先端部で柱頭が少し顔を覗かせています。

野あざみの花は、自家受粉を防ぐために、実に巧妙な仕掛けを持っています。それを下の模式図を使って説明します。

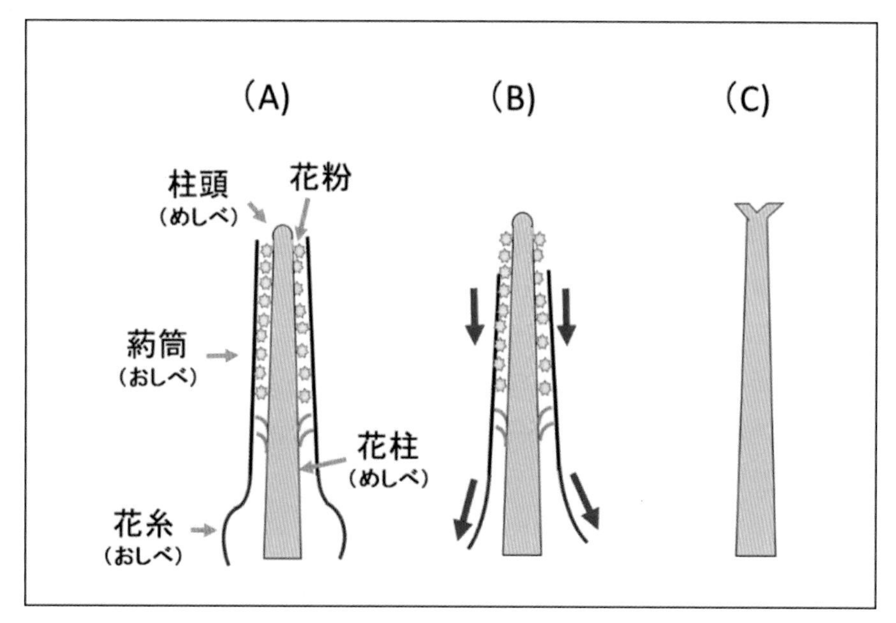

(A)「おしべ」と「めしべ」の断面図です。「めしべ」の花柱とそれを取り囲む「おしべ」の葯筒の間に黄色い花粉がたくさん詰まっています。花柱の下方には、花粉が落ちないようにするための突起が付いています。

(B) 虫が飛んで来て蜜を求めて小花の上を歩き回りますと、その振動が「おしべ」の花糸に伝わり、即座に反応して収縮します。そうしますと、速やかに葯筒が下方へ引っ張られて上端にある花粉が露出し、虫の足に付着します。次の虫が来るまではそのままですので、葯筒にある花粉は風雨などから保護されます。次の虫が到来しますと、同じ仕掛けが働いて上端の花粉を露出します。こうして花粉を大切に保護しながら少しずつ放出していきます。

(C) 花粉もすっかり無くなりますと、やがて「おしべ」は消退し、「めしべ」だけになります。最初のうち尖がっていた柱頭は、先端が2つに分かれ、虫の運んで来た他の花の花粉を受粉します。

このようにして、先に自家製の花粉を放出し、その後「めしべ」が生長して他の花の作った花粉を受粉します。これを雄性先熟と言います。

外側の小花は、「めしべ」だけになっていますが、内側には花粉を放出しているものもみられます。黄色の四角で囲んだ部分を拡大してみますと、黒っぽい葯筒の先端部に花粉の露出しているものと、まだ現れていないものが混在していることが分かります。

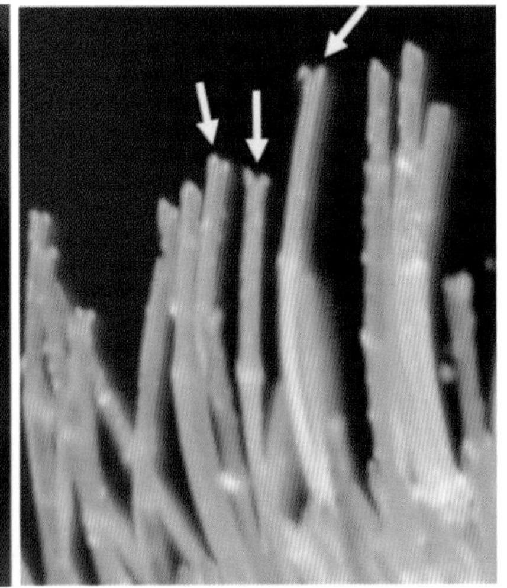

すっかり「めしべ」だけになった野あざみ。拡大しますと、柱頭が二分されていることが分かります。

「あさみ」の花は確かに美しいですが、葉には棘がたくさんついていて、触るととても痛いのです。それなのに、どうして多くの人に好かれるのでしょうか。あの鮮烈な青紫の花の色に惹きつけられるのでしょうか。

「あざみの歌」という美しい歌曲があります。昭和 24(1949)年、NHK のラジオ歌謡で放送され、2 年後伊藤久男が歌って大ヒット曲となりました。昭和 24 年と云えば私の生まれた年、今から 70 年前です。奇しくも津高の生徒さん達が明合古墳を発見した年です。

あざみの歌

作詞：横井弘、作曲：八洲秀章

1　山には山の　うれいあり
海には海の　悲しみや
まして心の　花園に
咲きしあざみの　花ならば

2　高嶺の百合の　それよりも
秘めたる夢を　ひとすじに
くれない燃ゆる　その姿
あざみに深き　わが思い

3　いとしき花よ　汝(な)はあざみ
心の花よ　汝はあざみ
さだめの道は　果てなくも
香れよせめて　わが胸に

作詞は、「哀愁列車」「「山の吊橋」「川は流れる」「下町の太陽」「おはなはん」など数々の名曲の詞を書いた横井弘、作曲の八州秀章は、「さくら貝の歌」「毬藻（まりも）の唄」なども作っています。最初に歌ったのは伊藤久男ですが、私達の世代は倍賞千恵子さんの歌になじんでいます。倍賞さんは20歳の時に「下町の太陽」を歌って大ヒットし、歌手デビューしました。私が中学生の頃で、朝学校へ出掛ける際、張りのある明るい歌声がラジオでよく流れていたのを覚えています。また寅さんの妹、桜役など山田洋次監督の映画には欠かせない存在で、庶民派女優として人気を博しています。60歳頃に乳がんを経験し、その後、がん患者さんを励ますために、ピンクリボン運動など様々な活動を続けておられます。その一つとして、山田邦子さん率いるスター混成合唱団にいち早く参加され、中心的な役割を担われて来ました。この合唱団は、「がん」を経験したスターやそのご家族が合唱団を結成しチャリティ公演などを行っているもので、NPO 法人「キャンサーリボンズ」と強い絆で結ばれています。「キャンサーリボンズ」とは、すべてのがん患者さんやご家族を対象に、生活支援や精神的ケアなどの活動を通じて、より充実した人生を送って貰えるように応援する団体です。実際にこの法人を立ち上げ、現在もリーダーとして活躍しているのは、副理事長の岡山慶子さんです。

岡山さんは松阪市の生まれで、広告会社勤務を経て、昭和61(1986)年東京に(株)朝日エルを設立して社長に就任、保健や医療、福祉、女性支援などをテーマとして社会貢献とビジネスの融合を図るための活動を続けておられます。この間、日本のピンクリボン運動の草分けとなった乳房健康研究会などのNPO法人の設立に貢献し、現在も現役で活躍されています。また、健康増進、障害者や子供支援など、様々な社会化活動に取り組む法人などの要職を務められています。私が岡山さんと初めてお会いしましたのは、今から 15 年ほど前、三重県における乳がん検診の普及をめざして「三重乳がん検診ネットワーク」を立ち上げた時です。東京で、乳房健康研究会の主催するピンクリボン運動のイベントが開かれると聞いて参上し、その組織力と活発な活動に驚き、即座に会員となりました。それ以後、同郷のよしみもあって親しくしていただいております。岡山さんの素晴らしいの

岡山慶子さん

は、発想力と実行力と持続力にあります。彼女には次から次へとアイデアが浮かんで来るようで、そのなかで良いと思ったものは躊躇なく新しい組織として立ち上げます。その決断と実行の早さも並外れたものです。新しい活動を始めるかたわら、既存の組織もそのまま継続するものですから、朝日エルという会社の中には実にたくさんの活動グループがあります。社員は女性ばかりですが、皆さんが手分けして次々に増えて来る仕事をきっちりとこなし継続しています。しかも抜群のチームワークです。そのため離職者が少ないのでしょうか。昔からの人達がずっと変わらず働いている、これもこの会社の特徴で、素晴らしいことです。

さて現在、桑名市では、岡山さんの紹介によるプロジェクト「卓球珈琲(カフェ)」が進行しています。「卓球で日本を元気にする会」「朝日エル」「ネスレ日本」などの共催によるもので、卓球を介して市民の健康増進とコミュニティの活性化を図ろうとするものです。伊藤桑名市長も大いに賛同され、今年3月21日、城南地区のコミュニティセンターにオープンしました。ここには卓球台が2台あり、誰でも自由に使えます。またネスレ日本の提供のコーヒーサーバーが設置されていますので、美味しいコーヒーを楽しめます。現在1日20人前後の利用者があるとのことで、今後、桑名市としては、他の地域にも拡げ、特に高齢者の多い地域でのコミュニティ活性化に繋げたいと計画しています。ちなみにこの活動は、来年の東京オリンピック、パラリンピックにおいて、スポーツを介して運動選手だけでなく国民一人ひとりの健康増進を図ろうとする beyond2020 マイベストプログラムとして認証されました。

城南地区卓球珈琲オープニング記念式典にて

さて病院の話題です。今回は新病院における産婦人科の診療について、部長の平田徹先生、医長の小林巧先生に解説していただきます。

産婦人科とは、大きく分けて以下の４つの分野から成る診療科です。

① 周産期：妊娠および出産から産後の管理を行います。
② 腫瘍：女性の骨盤内臓器（主に子宮や卵巣など）の良性腫瘍から悪性腫瘍までの診断から治療を行います。
③ 生殖医療：いわゆる不妊治療です（当院では不妊治療は行っておりません）。
④ 女性ヘルスケア：思春期〜性成熟期〜更年期〜老年期と女性のライフサイクルによって起こりうる生理現象や疾患は異なり、それぞれのライフサイクルに応じた疾患に対する診療を行います。

ここでは主に周産期と腫瘍の領域について当科での取り組みについて紹介させて頂きます。

【周産期】日本の周産期医療は、早産の増加、低出生体重児の増加、高年齢妊娠の増加というハイリスク妊娠が増加している背景の中、母体死亡・新生児死亡を大きく減少させてきており、世界の中でもトップクラスの実績を誇りますが、まだまだ課題も多いのが実情です。その日々遭遇する課題を克服しながら、周産期医療の進化を目指しております。

産婦人科では三重大学病院を中心とした県内の他の周産期施設と日々ネット中継を用いた多施設合同カンファレンスを開き、より多くの施設と症例を共有し、多くの産婦人科医師同士でディスカッションしています。このようなことをリアルタイムで行っていくことで三重県全体の周産期医療のレベルアップを図っていきたいと考えています。

周産期医療は、我々の科のスタッフだけでなく、麻酔科や新生児科、他の診療所や病院とも連携した協力体制が必要です。さらに当病院だけでなく、地域全体で手をつないで力を合わせていくことも重要であり、皆がチームとして周産期医療に

携わっています。それにより全ての妊婦さんがお産を安心して行えるための環境作りを目指しております。

【腫瘍】2017 年までは当科での取り扱い対象は主に良性腫瘍のみでしたが、2018 年から悪性腫瘍の治療も行えるようになりました。新病院になってから子宮や卵巣の悪性腫瘍手術の件数も増え、術後補助療法として化学療法も当院で一貫してできるようになりました。外来化学療法室が充実し、通院抗癌剤治療を受けることができます。放射線治療も導入され、主に子宮頸癌の放射線治療も開始しております。以前は婦人科悪性腫瘍の患者様は三重大学病院や四日市市の病院へ紹介せざるをえなく、通院やご家族の負担が大きいという問題がありましたが、桑名市でも悪性腫瘍の治療ができるようになったことで患者様に安心して治療に専念して頂けると思います。

良性腫瘍に関しては、病状にあわせて手術療法または薬物療法が選択されます。手術療法では手術負担の少ない術式である腹腔鏡下手術を積極的に行うようになり、2018 年から飛躍的に手術件数が増えました。薬物療法も近年様々なホルモン剤が開発され、治療の選択の幅が広がっております。当院ではご本人の意思を尊重した治療方針を提案します。

【診療実績】

2018 年 5 月〜2019 年 4 月(統合後の新病院移転につき 5 月 1 日からの集計)

分娩件数：261 件（うち帝王切開 80 件、吸引分娩 9 件、無痛分娩 0 件）

手術件数：253 件（うち腹腔鏡下手術 78 例）

7月：のうぜんかずら（凌霄花）

―真夏の太陽に天高く伸びる赤い花、その名は妖怪「のっぺらぼう」―

今年の梅雨はほんとうに長かったですね。うんざりするほど曇天の日が続きました。梅雨明けは全国的に遅く、東海地方でも7月28日頃、平年より7日遅く昨年に比べたら19日も遅かったそうです。台風6号が三重県上空を通り過ぎて行った翌日の日曜日でした。

梅雨が明けるや否や、打って変わって晴天の猛暑日が続き、うだるような暑さ、桑名市総合医療センターへも熱中症で気分が悪くなって運び込まれる

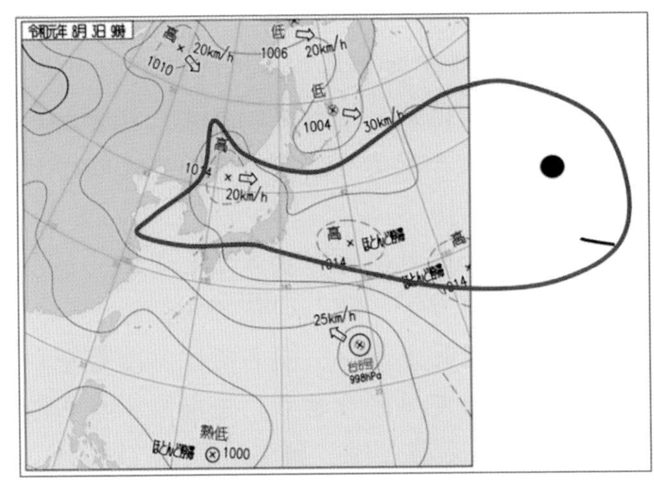

2019 年 8 月 3 日 9 時の「鯨の尾型」気圧配置
（天気図は気象庁のホームページより引用）

患者さんが続出しました。この猛暑の原因は、太平洋高気圧の勢力が強いことにありますが、特に今年のように太平洋高気圧が西日本に強く張り出し、朝鮮半島付近にも別の小さな高気圧のある場合には、日本付近を覆う等圧線の形がクジラに似て、日本から朝鮮半島付近がその尻尾にあたることから、「鯨の尾型」の気圧配置と呼ばれます。このような天気図の時には西日本では猛暑となりやすく、2013 年 8 月 12 日には高知県江川崎で日本の観測史上１位となる最高気温 41.0℃が観測されました。さらに台風も九州以南を通過することが多く、今年は次から次へと台風が到来していますが、進路にあたる九州地方の方々はほんとうにたいへんだと思います。謹んでお見舞い申し上げます。

しかし、それにしても暑いですね。昨年も暑かったですが、それに負けず劣らずの暑さです。日本の夏は暑いと云われますが、それは風が無い時に感じるもので、風が吹けば日中でも涼しく感じることが多いと思います。ところが今年の暑さは、風が吹いても涼しく感じません。熱せられ焼けた空気が体全体に直接吹きかかり、「ムッ！」と顔が上気して、息をすると熱風がそのまま肺へ入ってしまいそうで、思わず顔を背けてしまいます。ちょうど熱いサウナ室へ飛び込んだ時のようです。子供の頃、「熱風」という南米アマゾンを舞台にしたフランス映画がありました。女優さんが熱風に打たれて顔をしかめるシーンを覚えていますが、ほんとうに熱そうな風でした。その時「熱帯地方の風はそんなに熱いのか」と感心したのですが、その熱帯の風が今の日本に吹いているのです。地球温暖化でしょうか。

しかし、そんな暑さもどこ吹く風、平然と咲いているのが、「のうぜんかずら」の赤い花です。真夏の赤い花と云えば、他にカンナや夾竹桃、百日紅（さるすべり）などが思い浮かびますが、花は鮮やかな赤色で大きく、しかも背が高いものですからひときわ目立ちます。そこで今回は「のうぜんかずら」です。

「のうぜんかずら」は、ノウゼンカズラ科に属するツル性の落葉樹です。平安時代に中国から渡来し、古くから日本人に親しまれています。初夏から夏が終わるまでの長い間、濃い赤や橙色の大きな美しい花をたくさん咲かせます。梅雨の間に満開に咲いた花は、梅雨明けの頃には散ってしまいます。このまま終わるのかと思っていますと、夏の盛りに再び咲き出します。どうやら花のピークは、初夏と盛夏の二度あるようで、嬉しい花です。

ところで「のうぜん」とはどういう意味でしょうか。漢名では「凌霄花」と書きますが、凌霄（りょうしょう）が訛って「のうせう」となり、さらに「のうぜん」になったと云われています。凌霄とは、難しい漢語ですが、「霄（そら）を凌（しの）ぐ」、すなわち花が天高く伸びていく様を表したものです。また気根（空中に露出した根）を出して他の樹木や壁などに付着し、「つる」を伸ばして拡がっていきますので、「つる」を意味する「かずら」が付いています。

天に向かって伸びる「のうぜんかずら」の花

　さて花の構造はどうなっているのでしょうか。
花弁は５枚で、やや肉厚のザラザラした質感があります。「おしべ」や「めしべ」は何処にあるのでしょうか。普通に見ているとよく分かりません。花を下から見上げるようにしますと、白っぽい「おしべ」と「めしべ」が、上方の２枚の花弁にぴったり付着するようにして存在します。

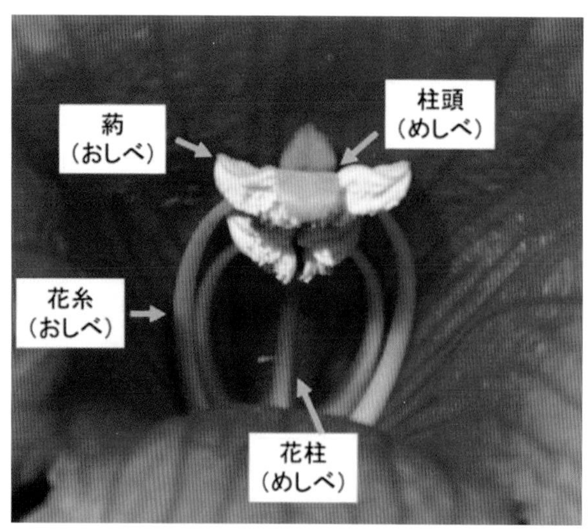

「おしべ」と「めしべ」の部分を拡大したのが、左の写真です。中央に、先端の二分した「めしべ」の柱頭と、その直下に花柱がみえます。その両脇には花糸の長い「おしべ」と短い「おしべ」が対になって控えます。花糸の長い「おしべ」の先端の葯は左右から、二分した柱頭の下へ潜り込んでいます。

右の写真は、花弁も「おしべ」も落ちた後、「めしべ」だけが残ったものです。「めしべ」の形がよく分かり、柱頭の面白い形が印象的です。

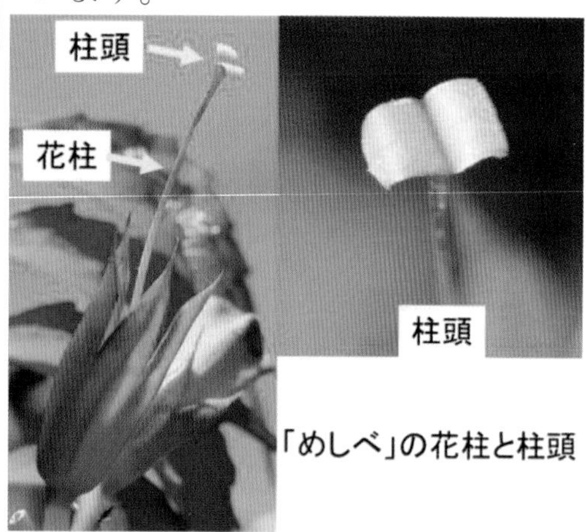

「めしべ」の花柱と柱頭

「おしべ」と「めしべ」が上方の花弁に付着していることが、この花の表情に微妙な変化をもたらします。

うつむけば「のっぺらぼう」、あおむけば「ひとつ目小僧」、さながら妖怪ワールドです。

前ページの写真をご覧ください。花を上から眺めますと、目も鼻も口も何も見えず、「のっぺらぼう」です。一方、下から見上げますと、「おしべ」や「めしべ」が中央に集まり、まるで「ひとつ目小僧」です。まさに昔から人気のある妖怪の世界ですが、このように見る角度によって表情の一変することが、この花の面白いところです。

「のっぺらぼう」の妖怪たちが並んでいます。うつむき加減で無表情、陰気で何か不気味な感じがします。

顔を上げますと、内部が明るく光り、口を大きく開けて笑っているようです。ほんとうは陽気な妖怪たちなのです。

「いない　いない　ばあっ！」　いたずら好きの妖怪でもあります。

夕暮れ時、山の端（は）が赤く染まります。葉陰で怪しく光る「のうぜんかずら」、果たして何が起こるのでしょうか。

ところで中学校の時、英語はどんな教科書で学ばれましたか。私たちが中学生だった1960年代前半には、*New Prince Readers*（開隆堂）や*New Crown*（三省堂）などの教科書が使われていたと思います。*New Prince Readers*は1962年の初版から1986年の絶版まで25年間使い続けられた教科書で、私もこの教科書で学びました。そしてその25年の間、途中で3年間のブランクを除いてずっと収載され続けたのが、小泉八雲（ラフカディオ・ハーン）のMujina（むじな）です。改定の激しかった戦後の中学英語教科書において、同一教材、しかも日本の民話を題材とした物語が、長期間にわたって使い続けられたのは極めて異例のことだそうです.「むじな」とは日本の民話に登場する動物で、狐や狸と同じように人を化かす妖怪です。アナグマのことを指すそうですが、地方によってはハクビジンとも云われます。この物語は、「むじな」が目も鼻も口も無い「のっぺらぼう」の人間に化けて商人を驚かす怪談です。覚えていらっしゃる方もいると思いますが、あらすじを紹介します。

昔、東京の紀国坂は夜暗くなると非常に寂しく、人々は坂を避けて遠回りしたそうである。その頃その辺りをよく歩いていた「むじな」に出会うのが怖いためである。これはその「むじな」に最後に出会ったという商人の話である。

ある晩遅く、商人が紀国坂を上っていくと、濠のふちにかがみこんで激しく泣いている若い

女がいた。身なりは綺麗で良家の娘のようであった。心配して声をかけたが、娘は長い袖に顔を隠したまま泣き続けている。それでも商人は何度も声をかけ、娘の肩にそっと手をかけた。すると娘は立ち上がって振り返り、さっと顔をひと撫ですると、目も鼻も口も無い「のっぺらぼう」になった。商人は驚いて一目散に坂を駆け上って逃げた。振り返らずひたすら走り続け、ようやく遠くに蕎麦屋の屋台の灯りを見つけた。商人はほっと胸を撫でおろし、屋台に飛び込んで蕎麦屋の足元にひれ伏した。そして怯えながら叫んだ。「ああ！ああ！私は見た。女を見た。濠の側で。女は私に見せた。何を見せたかって！！恐ろしくてとても言えない！」。すると蕎麦屋は「へえ！女の見せたものは、こんなものだったかい？」と言いながら顔をひと撫ですると、顔は卵のようになり、灯りが消えた。

この話で商人は、「のっぺらぼう」に化けた「むじな」に二度騙され驚かされます。このような話を「再度の怪」と云い、怪談の典型スタイルの一つだそうです。最後は落語の落ちのようですが、読者にとっては、妖怪から逃れて人間世界に戻り、ほっと一安心して話は落着するものと思っていたところ、再び妖怪の世界へ引き戻され、そのまま終わります。一瞬、現実と虚構の世界が交錯したままとなり、隣の人の顔を見るのも怖いような恐怖に襲われます。

ラフカディオ・ハーンは、1850 年、イオニア海に位置するギリシャのレフカダ島に生まれました。2 歳の時にアイルランドへ移りますが、父母の離婚、母の精神病、父の死など不遇な少年時代を送ります。イギリスとフランスでカトリックの教育を受けますが、キリスト教および西洋文化に疑念を抱きます。19 歳の時、単身でアメリカへ移住し、辛苦を重ねた後、ジャーナリストとして頭角を現し、文筆家としても認められるようになります。秘かに憧れていた女性ジャーナリストから日本の素晴らしさを聞かされ、次第に日本文化に興味を示すようになり、1890 年 4 月、39 歳の時に来日します。9 月に松江の島根県尋常中学校へ英語教師として赴任し、翌年小泉セツ（節子）と結婚しました。松江には 1 年 2 か月しかおらず、熊本へ移ります。この頃の

小泉八雲

２年程の間に書かれたのが「日本の面影」です。ここには初めて横浜の土を踏んだ日のことから、自ら目にした日本の美しい風景や建物、民衆に伝わる伝承や風習などが、こと細かに愛情深く描かれています。なかでも松江へ向かう途中で滞留した山村での盆踊りには、深い感動を覚えたようです。46歳（1896年）で東京へ移り、東京帝国大学の英文学講師（夏目漱石の前任）に着任し、日本に帰化して「小泉八雲」と改名します。

セツは日本語の読み書きができない八雲のために、全国に伝わる民話を集めては語り聞かせ、八雲の創作を助けます。こうして出来上がったのが、「むじな」のほか「雪おんな」「ろくろく首」「耳なし芳一」などの話を収めた「怪談（KWAIDAN)」で、1904年、54歳の時に米国で発刊されました。そしてこの年の９月、心臓発作のため他界します。

「日本の面影」を読みますと、八雲が如何に日本の文化や民衆を愛していたか良く分かります。どうして八雲は、そんなに日本を好きになったのでしょうか。父はアイルランド出身の軍医、母はギリシャ人でしたので、「私には様々な民族の血が流れている。だから日本という異文化を理解できる」と八雲はよく口にしていたそうです。しかも子供の頃からギリシャ神教に親しんでおり、同じく多神教の日本神道を理解できたと云われます。一神教であるキリスト教に反発していたことも、拍車をかけたのかも知れません。そして何よりも、日本人、特に民衆のやさしさ、親切さ、素朴さ、礼儀正しさなどに強く心打たれていました。そして次のような警鐘も発しています。

小泉セツ

「今の（当時）の日本人、特に知識人は西洋ばかりに目が向いている。そのため古き良き日本の心、文化、伝統が失われつつある。私達は今一度振り返り古き良き日本を残さねばならない」。現代の日本でも、しばしば耳にする言葉です。子供の頃の日本を知る私達は、その再現は無理にしても、その記録を少しでも残しておきたいと思います。小泉八雲の愛した「日本の面影」を残すためにも・・・。

さて病院の話題です。今回は、妖怪の好きな子供さん達が通う当センターの院内保育所の話です。その立ち上げのために三重大病院から駆けつけてくださった元三重大病院看護部長の飯田愛子さんに概説していただきます。

「ゆめっ子保育園」は、桑名市総合医療センターの職員の方々が利用されている保育園です。新病院が出来るまでは、東、西、南医療センターの3か所に分散されていましたが、新病院の開院とともに統合され、昨年改修工事を終えて9月26日より開園しました。

0歳児のヒヨコ組 、1歳児のウサギ組 、2歳児以上のパンダ組の3クラスがあり、現在 42 名の園児と津田幼稚園児5名の子供たちが元気に過ごしています。春休みや夏休み、冬休みになりますと、他の幼稚園児の利用もあり、とても賑やかな保育園になります。夜間保育も月 15 回行われて、5名の子供さんが利用されています。

ウサギ組の子供たち

本年度から園児の健康診断を小児科森谷部長にお願いしましたところ、ご多忙にもかかわらずご快諾いただき、早速 5 月に行っていただきました。今後も年2回お世話になることになっています。先生からは、数年前からイベントごとに子供たちにお菓子のプレゼントもいただいており、お心遣いにとても感謝しています。

現在、保育園には園庭のないのが唯一の悩みです(最終工事が終了すれば設置される予定です)。したがってお天気の良い日は、散歩に出かけます。幸い近辺には、精義公園や新矢田公園などの公園が幾つかあり、砂場でおままごと、ボール蹴り、ブランコや滑り台などで楽しく遊びます。また、桑名駅周辺では近鉄電車やJR、三岐鉄道などの電車を見ています。なかでも一番の人気は特急「しまかぜ」が通過する時とアンパンマンバスに出会った時で、可愛い歓声が上がります。寺町の三八市にも出かけたりします。

お出掛けの様子

園児たちは、友達と仲良く手をつないで、散歩を楽しみます。お日様の下、たくさん歩き、走り回り、元気いっぱいの子供達です。なによりの楽しみは、お弁当の時間です。みんなで「いただきます」のあと、残さないよう美味しくいただきます。

スタッフは園長はじめ 16 名の保育士で、子供さんたちが安全で怪我なく楽しく過ごすことができるように注意しながら保育にあたり、誕生日会、夏祭り、運動会、ハロウィンなど様々な行事にも取り組んでいます。今後は、病児保育も始められるよう準備していきたいと考えています。

パンダ組の子供たち

皆様から安心して利用していただける保育園を目指し、スタッフ一同努力して参りますので、今後ともどうぞよろしくお願いいたします。

８月：カンナ
―琉金と和金、似ているようで似ていない、金魚の仲間―

炎天をものともせず、ふくよかに咲くカンナの花の群。

今年の８月は、暑かったのか、そうでなかったのか、よく分からない夏でした。今振り返ってみても、晴れた暑い日が多かったようにも思いますし、曇の日が続いたような気もします。記録的な猛暑だった昨年に比べますと、暑くはなかったように思いますが・・・。

そこで気象庁のデータをお借りして、昨年と今年の暑さを比較してみました。次ページのグラフをご覧ください。最高気温が 35 度を超えますと猛暑日と云われますが、日本全国に分布する 1000 か所近い観測地点において、猛暑日となった地点の数を７月と８月で日ごとに比較したものです。赤線は昨年、緑色の線は今年の数を示します。7 月の終わりから 8 月中旬にかけては、昨年も今年も猛暑日となった地点が多く、ともに暑かったことが分かります。ところが 7 月中旬から下旬、および 8 月下旬では、昨年は猛暑を記録した観測地点が非常に多かったのに対し、今年はほとんどないことが分かります。すなわち昨年は7月中旬から8月の終わりまで、日本全国ずっと猛暑日が続いたのですが、今年暑かったのは8月前半だけだったということになります。ということは、今年の夏は比較的過ごしやすかったということでしょうか。

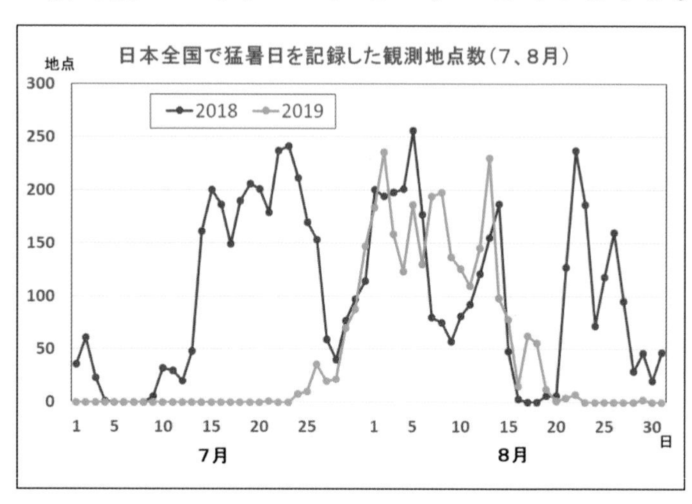

そして9月に入りますと、いきなり大雨と台風がやって来ました。なかでも9月初旬、三重県北部を襲った集中豪雨では、5日には四日市北部で、翌6日にはいなべ市と菰野町で、いずれも1時間に120㎜を超える猛烈な雨が降り、総雨量は多いところで600㎜を超えたそうです。亡くなられた方1名、床上、床下浸水62棟、橋の崩壊などの被害が発生しました。その時の天気図をテレビで見ていますと、伊勢湾で発生した雨雲が次から次へと線状になって北上し大雨を降らせています。これは最近よく耳にする線状降水帯かと思いました。線状降水帯とは、2000年頃に日本で造られた気象用語で、その定義は「次々と列をなして発生し発達する雨雲（積乱雲）が、数時間にわたり同じ場所を通過したり停滞することにより生じる線状の強い降水域」となっています。規模としては、長さ50～300km、幅20～50kmぐらいのものだそうです。近年の集中豪雨では、台風などの影響によるものを除きますと約6割が線状降水帯によるもので、特に西日本や九州、沖縄地方に多いと云われます。記憶に新しいところでは、2014年8月の広島豪雨、2015年9月の関東東北豪雨などがありました。今回の三重県北部の豪雨が線状降水帯によるものかどうかは、もう少し調べないと分からないとのことですが、梅雨時から夏の終わりにかけての雨の降り方は、すっかり熱帯化して久しい気がします。

さて今月の花はカンナです。ジリジリと照りつける真夏の太陽に最も映えるのは、前号で取り上げたノウゼンカズラと百日紅（サルスベリ）、夾竹桃そしてカンナです。元来園芸種ですが、現在では野生化して道路端や川原の堤などに群をなして咲いています。炎天をものともせず、赤、黄、オレンジの色鮮やかな花が、群になってふくよかに咲いている姿を目にしますと、嬉しくもあり、頼もしくも感じます。茎の先端にたくさんの花をつけますが、ふさふさした花びらが、多数重なり合うようにして咲いていますので、花の構造がよく分かりません。

花の構造はどうなっているのでしょうか？

目を近づけて１個の花をじっくりと眺めてみましても、ふさふさした花びらが重なり合っているだけで、よく分かりません。
「おしべ」や「めしべ」はどこにあるのでしょうか。

そこで咲いている花を取り出し、外側から一つひとつていねいに分解して、どのような部分から構成されているか、調べてみました。それらを並べたのが下図です。上段左から下段右へ向かって順に外側から内側へのものが並べてあります。

まず上段です。萼と花弁を総称して花被片と云いますが、カンナには、最外側にある外花被（萼）が３枚、その内側に内花被（花弁）が３枚あります。本来の花弁はこんなに小さくて鞘（さや）のような形をしているのです。

次に下段です。カラフルでひらひらした花びらのようなものが５枚あります。花弁ではないとすると、いったい何でしょうか。これは「おしべ」が花弁のように変化した「花弁化おしべ」と呼ばれるもので、八重咲の花にしばしばみられ、仮おしべとも云われます。その最内側にある５番目の花弁化おしべの一端から針のような「おしべ」出ています。さらにその内側に「へら」のような「めしべ」があります。

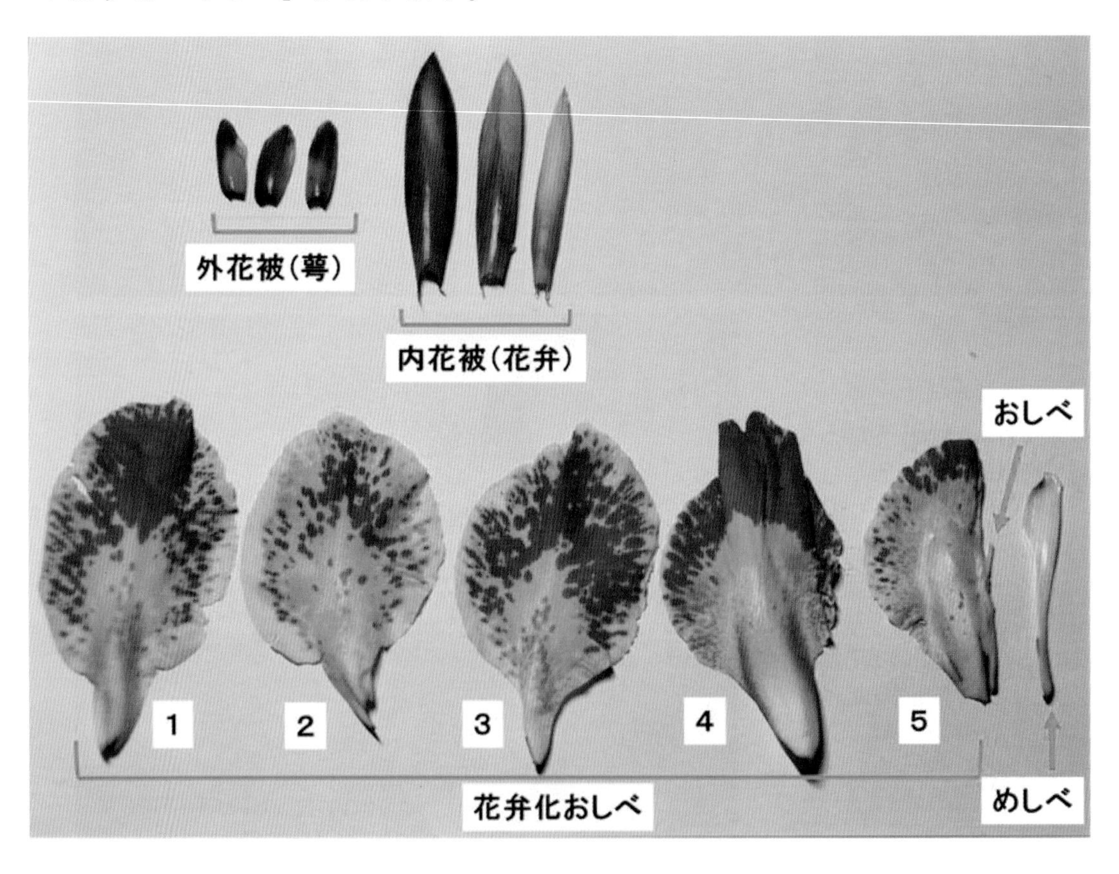

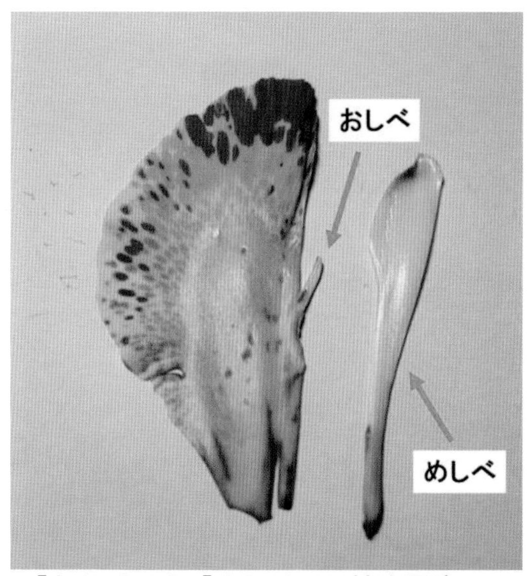

「おしべ」と「めしべ」の拡大写真

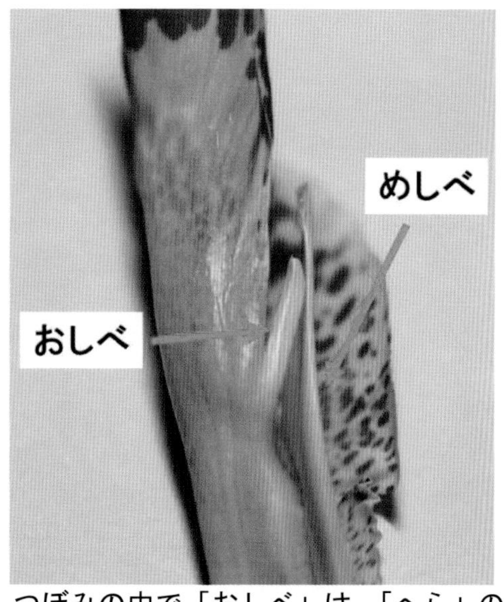

つぼみの中で「おしべ」は、「へら」のような「めしべ」の腹（花柱）にぴったり付着しています。

実際に咲いている花で各部を確認してみましょう。

（写真右）カンナの花を横から観察したものですが、一番外側下方に萼（外花被）があります。その内側上方に花弁（内花被）が 3 枚あり、そのうち 2 枚は反りかえって垂れ下がっています。その上方内側に、花びらのような花弁化おしべがふわふわと開いています。

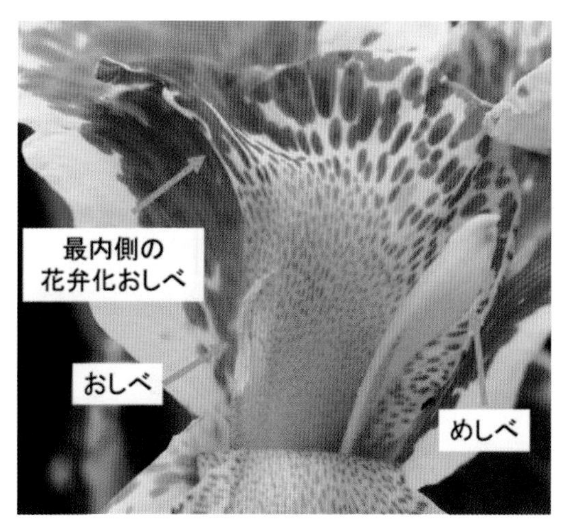

（写真左）花弁化おしべを一枚ずつ注意深く除けていきますと、最も内側に 5 番目の花弁化おしべが出て来ます。その一端（写真で向かって左側）から白っぽい「おしべ」が出て、それに対峙するような形で「へら」のような「めしべ」が位置します。「おしべ」は既に花粉を放出した後のようです。

このページの写真は、川原などでよく見掛けるカンナに似た植物ですが、私は今まで漠然とカンナだと思っていました。花の付き方も、葉の形も、群をなして育つことも、カンナと同じだからです。ところがよく見ますと、どこか違っています。花びらの形が、カンナのようにふさふさふっくらしておらず、細くてスリムなのです。そこでネットなどで調べてみますと、カンナの原種であるダンドク（壇特）と云う植物だと分かりました。

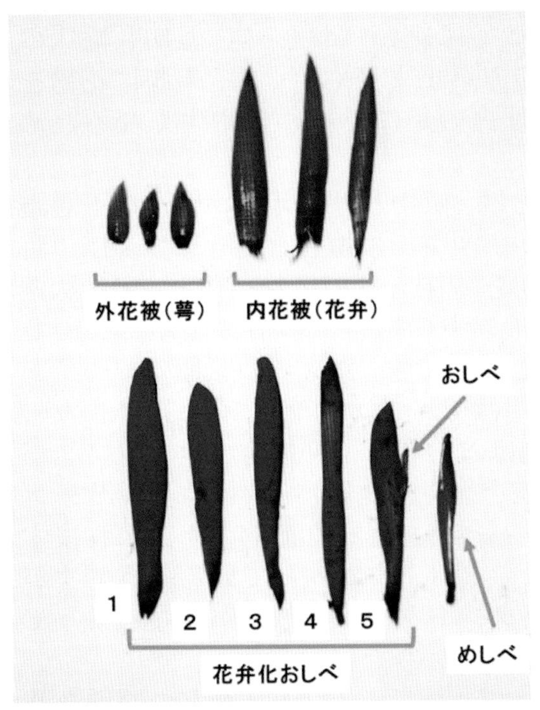

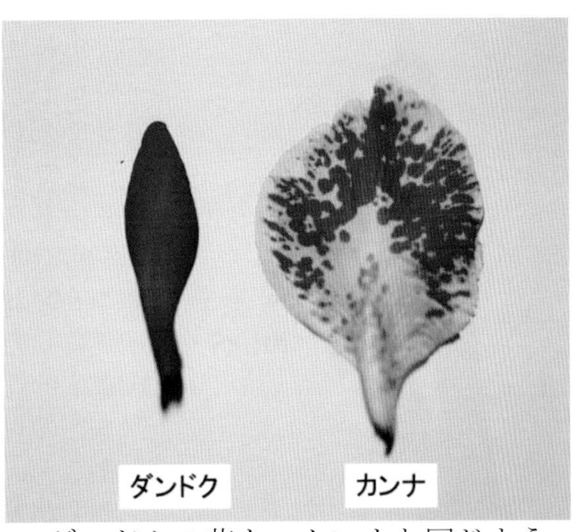

ダンドクの花を、カンナと同じように分解して並べてみました。すると構成する要素の数と種類はまったく同じですが、ただ花弁化おしべの形態だけが異なっているのです。

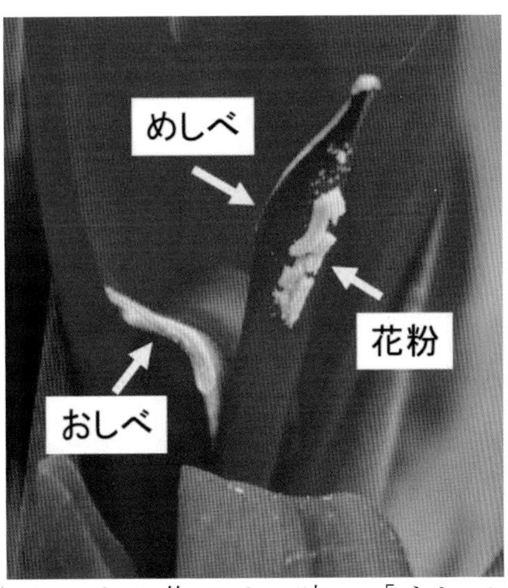

左上の写真をご覧ください。ダンドクやカンナの花では、時々「めしべ」の腹（花柱）の部分に、白いものが細長く付着しています。右上の写真はその一部を拡大したものですが、「めしべ」に付着しているのは、「おしべ」の花粉です。次ページの写真は、つぼみを開いて「おしべ」と「めしべ」の位置関係を調べたものですが、「おしべ」は「めしべ」の腹にぴったりとくっ付いています。そのため「おしべ）の花粉が「めしべ」の腹に付着するので

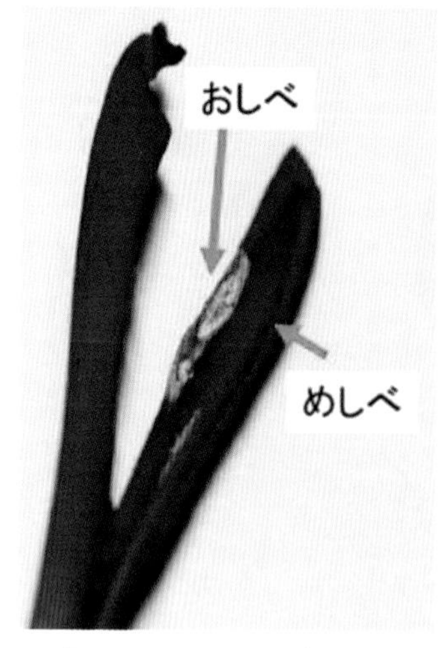

す。虫にとっては細い「おしべ」よりも幅広の「めしべ」の方が止まりやすく、その腹に花粉を塗っておけば虫の足にくっつきやすくなるためだそうです。

ダンドクとは、植物とは思えないような不思議な名前ですが、漢字では壇特と書きます。江戸時代にインドから中国を経て伝わったとされ、釈迦が修業したインドの壇特山の名に因んでこの名が付けられたそうです。カンナの原種の一つであり、この仲間はアメリカ、アジア、アフリカの熱帯に 50 種ほど分布しています。コロンブスがアメリカ大陸を発見した時に、タバコやマリーゴールド、ヒマワリなどと一緒にヨーロッパへ持ち帰った植物とも云われます。奄美地方には、日本に伝来した時のままのダンドクが残っているそうですが、その写真を見ますと、ここで取り上げたダンドクとは少し姿が異なるようです。何度かの交配を経た後、現在の形になったのでしょうか。

一方のカンナは、19 世紀中頃からヨーロッパで、ダントクなどの原種を基に交配を重ねて作られた園芸種で、明治時代に日本へ渡来しました。

このカンナとダンドク、同じカンナ科の仲間ですが、花の形が異なります。金魚に例えるならば、ふさふさしたカラフルなヒレを優雅に振って泳ぐ琉金と、スリムで動きの鋭い和金でしょうか。和金を琉金と思い込み、つゆも疑わずに長い間過ごして来ました。少し目を近づければ、その違いにすぐ気が付くはずなのに、それをして来ませんでした。私の持っている浅薄な知識や常識の中にも、そのような思い込みや先入観によって誤って形成されたものが、どれだけあることでしょう。この齢になって・・・と思うと心寒くなります。

琉金

しかし一つでも間違いに気付き、正しく改められますと、これはこれで幾つになっても嬉しいものです。老いてなお、何事にも好奇心を失わず、先入観にとらわれず、自分の目でしかと見ること、その大切さを改めて痛感しています。

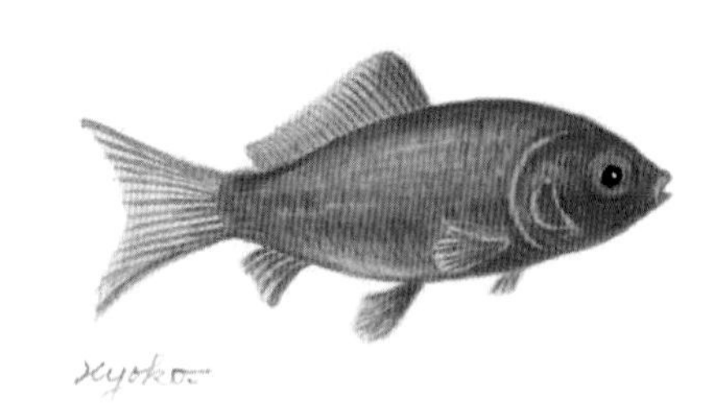

和金

さて、クリストファー・コロンブス（1451年頃-1506年）がアメリカ大陸を発見、というよりもヨーロッパ人として初めてアメリカ大陸の土を踏んだのが1492年（学生時代イシクニと覚えました）、この年より約2世紀にわたりスペインの南北アメリカ大陸への進出が始まります。多数の探検家が一攫千金を夢見てアメリカ大陸へ渡り、征服し植民地化していきます。このような人達をコンキスタドール（スペイン語で征服者の意味です）と云いますが、その中で少なからぬ人達は、原住民から財宝を略奪し、殺戮したり奴隷化した極悪非道の人だったと云われます。なかでも1521年メキシコのアステカ王国へ侵略したエルナン・コルテスや1533年にペルーのインカ帝国へ侵略し滅亡へ追い込んだフランシスコ・ピサロなどが有名です。コロンブスも、北アメリカの原住民を大虐殺し、奴隷化して本国へ送り込んでいます。さらにコロンブスの軍隊が持ち込んだ伝染病などの流行により、当初800万人ほどいたアメリカ・インディアンの人口は3分の1ほどに減少したと云われます。中学や高校の世界史で学んだコロンブスの印象は、北アメリカ大陸を発見した大冒険家で、航海術にも優れた英雄、「コロンブスの卵」の逸話にあるように、知的で思慮深い人でした。学校では教えて貰わなかったコロンブスの裏の顔、そういえば、コロンブスには奴隷商人という肩書もあります。

コロンブスの北アメリカ上陸以来、15世紀から17世紀かけて繰り拡げられたスペインやポルトガルなどによる南北アメリカ大陸への侵略と征服、原住民の人達の受けた屈辱と苦難は、想像を絶するものがあります。私達の病院にも、スペイン語やポルトガル語の医療通訳として働くペルーやブラジル出身の職員がいます。彼女達の母国が長い間耐えて来た悲劇の歴史を想うと心痛みます。

さて病院の話題です。今回は、本院の要の診療の一つを担う循環器病棟（7階北）について、佐藤公介看護師長より解説していただきます。

7階北病棟は、循環器内科、心臓血管外科、胸部外科を主科とした40床の病棟です。循環器疾患にて入院される患者さんが大半を占め、予約入院の多くは、心臓カテーテル治療を受けられる患者さんです。2018年度には、心臓カテーテル検査658件、心臓カテーテル治療289件、アブレーションによる不整脈治療38件、ペースメーカー挿入術34件などが行われ、桑名地区では当院を中心として心臓カテーテル治療が行われています。

また新病院開院後からは心臓血管外科手術も行われるようになり、冠動脈バイパス術、弁形成術や弁置換術など、以前は他病院へ搬送せざるを得なかった患者さんも当院で治療できるようになり、循環器疾患における治療の幅がさらに拡大しました。2018 年度には、心臓血管の手術 17 件、肺などの手術 37 件が行われましたが、術後急性期は集中治療室で術後管理を行い、病状が落ち着いて 7 階北病棟へ戻った後は、リハビリを中心とした社会復帰を目指す治療を行っています。

術後リハビリに欠かせないのが心臓リハビリテーションメンバーの存在です。心臓リハビリテーションによる運動療法や退院指導のプログラムにより、術後リハビリを安全かつ安心して行うことができ、合併症の予防にも役立ちます。また術後だけでなく、心不全や心筋梗塞後にリハビリを行うことによって、心不全の再入院率を減少したり、病床回転率の向上に大きな役割を演じています。このようにして医師・理学療法士・薬剤師・栄養士・看護師が連携して一体となり、患者さんの社会復帰に向けてのサポートを行っています。

7 階北病棟で働くスタッフの多くは、桑名東と南医療センターで働いていた人達です。開院当初は、循環器科の特徴である入退院患者と重症患者の多さに多忙を極め圧倒されましたが、その時期を乗り越えて成長して来ました。看護スタッフの平均年齢は若いのですが、若いからこそ、新しい変化にも柔軟に対応することができます。

新病院の開院とともに、色々なことが目まぐるしく変化しましたが、その変化にも柔軟に対応して来ました。これには、医師の協力も大きかったと思います。市川病院長はじめ循環器内科、心臓血管外科、胸部外科の医師と私達スタッフとの仲も良好で、和気あいあいとした笑顔の絶えない病棟の雰囲気も特徴の一つです。また看護師は、医師により開催される研修会やカンファレンスへ積極的に参加したりして、医療の質向上のために多職種が協力し合い、お互い切磋琢磨しています。

近年、高齢者世帯や独居生活などの増加により、患者さんが自宅へ退院することの困難な場合も多くなっています。看護師は、病院生活の中で患者さんと関わる時間が一番長く、患者さんの生活をコーディネートする大切な役割を担っています。一人ひとりの患者さんが、その人らしく社会復帰していただくために、今後も多職種と連携し、患者さんを中心とした医療を提供していきたいと願っています。

9月：さぎ草

—何たる造形の不思議！　コンコルドも真似たかも・・・—

急降下する二羽の白鷺（しろさぎ）。それを見つけた子供たちが指差しながら見上げています。

今年の 10 月は、度重なる台風や大雨により憂鬱な日が続きました。なかでも 12、13 日の週末に関東から東北の太平洋岸を縦断した台風 19 号は、各地に大雨と強風による被害をもたらし、7 県の 71 河川で 140 か所堤防が決壊して、亡くなられた方 88 人、行方不明 7 人となっているそうです（10 月 31 日時点、NHK 調べ）。さらにその前後の大雨や台風により、千葉県や長野県、福島県などでは二度も三度も浸水に襲われた地域がありました。氾濫した水がようやく引き復興に向けて動き出した矢先、再度襲われた浸水被害、被災地の方々の心境は知るすべもありません。ほんとうにお気の毒なことです。謹んでお悔やみとお見舞いを申し上げます。

こんな訳で 10 月の降水量は、東日本や東北地方などを中心として記録的な数字となりましたが、平均気温も全国各地で過去最高を記録した地点が数多みられました。これは夏の暑さをもたらす太平洋高気圧が秋になっても本州南で強い勢力を保ち、日本列島に気温の高い空気が入り込んだためです。お茶の間で人気のある気象予報士の森田正光さんによれば、以前であれば9 月で終わる天候がそのまま 10 月まで続き、季節が 1 か月ずれているのだそうです。そのため台風 19 号やその前後の台風も 10 月ではなく 9 月のコースを辿り被害が大きくなったとのことです。最近は春と秋が短くなった感じがしますが、実は季節が 1 か月ずれただけで秋の長さは変わらず、冬が短くなっているそうです。そういえば近頃では、東海地方でも紅葉は 12 月に入って真っ盛りというところも少なくありません。大雨と高温により散々な 10 月でしたが、そのうえ私個人的には、月初めより左側の頸部から肩、上腕にかけて疼痛を覚えるようになり、左手でキーボードを叩けなくなりました。電子カルテやパソコンで、細かい字を凝視しながら読んだり入力していたことが原因らしく 10 月の前半は右手だけで仕事をせざるを得ませんでした。そのため仕事の能率は低下し、言い訳めいて恐縮ですが、理事長の部屋の

執筆も叶いませんでした。1か月経過して少し楽になって来ましたので、今、慌てて書いています。現在はハズキー・ルーペをかけてパソコンに向かっていますので、字が大きく仕事はずいぶん楽になりました。やはり寄る年波には勝てないということでしょうか。それにしてもこの1か月間、肩や腕が痛いだけで気分はずいぶん落ち込みました。私は健康にはある程度自信を持っていましたが、このままではこの先大丈夫かと気弱になってしまいました。肩や腕が少し痛むだけでこれだけ気分が滅入るのですから、もっと重篤な病に苦しんでおられる患者さんたちの心境は如何ほどのものでしょうか。医療人として改めて認識を新たにさせられた次第です。

さて今月の花はサギ草です。この夏、サギ草の鉢植えをいただきました。平たい鉢に、花芽をつけたサギ草がびっしり育っていて、お盆の過ぎた頃から咲き始めました。私の植物の師匠である先輩女性三人組のお一人からいただいたものです。それぞれ年齢は70代半ばぐらい、自然や草花が大好きで、特に野草には造詣が深くいろいろ教えていただきました。他の仲間とも連れ立って山へもよく登られるそうで、お会いした当初、「時間がない！時間がない！」と口癖のように言っておられました。何の時間が無いのか不思議に思っていましたところ、何でも日本200名山の踏破を目指しており、そのためには残された時間が少ないのだそうです。今でも月に2度も本格的な登山へ出かけられることもあるそうで、そのうちのお一人はこの秋に300名山を踏破されたとのこと

です。凄い人達がいるものだと感心させられます。

サギ草は、ラン科サギソウ属の多年草です。ランの仲間は世界中に数えきれないほどありますが、サギ草は日本固有種であり、古くから本州、四国、九州などの日当たりの良い低地の湿地に自生していました。最近ではゴルフ場などの開発により自生種が激減し、環境省の絶滅危惧種に挙げられています。代わりに園芸種が増えて私達の眼を楽しませてくれます。

サギ草などラン科の植物の花は、非常に複雑な構造をしていて、虫媒花の中でも最も高度に進化した形態をしていると云われます。

ランの花の基本数は3で、萼（外花被）も花弁（内花被）もそれぞれ3枚ずつあります。萼は緑色をしており、中央で上方へ開く背萼片と、左右に拡がる側萼片から成ります。花弁のうち最も大きいのは白サギの形をして下方へ伸びる唇弁で、中央の胴体部分を中裂片、左右に拡がる羽の部分を側裂片と云います。残り2枚は、サギの尻尾に当たる部分で、直立して左右対称に開く側花弁です。左右の側花弁の中央背後に背萼片が位置します。唇弁の中裂片の根元の部分より、長さが3〜4cmほどの距（きょ）と呼ばれる長い筒が弧状となって下方へ伸び、その底に蜜が溜まります。

花の中央部分は、「おしべ」と「めしべ」が合着して一体となっているため、さらに複雑な構造をしています。右下の写真をご覧ください。

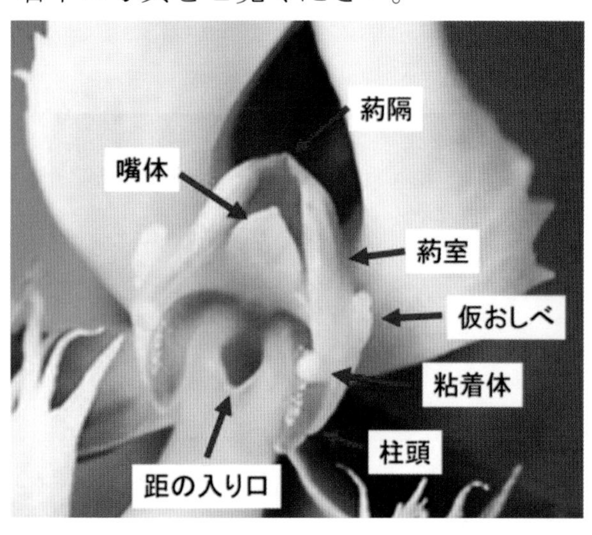

まず「おしべ」に相当する部分ですが、薄黄色で左右対称に「ハ」の字型をしているのが葯室で、中に花粉塊が入っています。その両先端には白い丸い球のようなものがみえますが、これが粘着体で葯室の中の花粉塊と繋がっています。葯室の中央、葯隔の前方に三角形をした嘴体があり、その根元に距が開口します。スズメガなどが距の蜜を吸うため入り口に顔を近づけますと、その左右にある粘着体が複眼などに付着し、花粉塊も一緒になって遠くへ運ばれます。

つぎに「めしべ」部分ですが、両側の葯室の下方に緑色した柱頭があります。少し前方へ突出していますので、虫が顔や足に付けて運んで来た花粉を受粉しやすくなっています。また自身の花粉を葯室の中へ収めて保護することにより、自家受粉を防いでいます。

距は細長い突起ですが、サギ草などのランやスミレ、ビオラなどの仲間やオダマキ、ツリフネソウなどにもみられます。通常内部に蜜腺を有し、分泌された蜜は底に溜まります。距が長いので昆虫の口が短いと蜜は吸えません。昆虫の口が細い管になって長く伸びているものを口吻（「こうふん」と云います。蝶や蛾では長い口吻を持ち、普段は渦巻状に巻かれていますが、蜜を吸

つぼみの頃から長い距がみられます

アゲハ蝶の口吻

う時には真っ直ぐ伸びて長くなります。とりわけセスジスズメなどスズメガ科の蛾の口吻は長いので、サギ草の長い距にも十分に対応し蜜を吸うことができます。サギ草の距が長いのは、長い口吻を持つ昆虫だけを選んで蜜を吸わせているのでしょうか。

たいていは数羽が編隊を組んで下降します。

地上の獲物めざし一直線です。

垂直に急上昇するものもいます。

さてサギ草の胴体の部分ですが、私には超音速旅客機「コンコルド」に似ているように思われてなりません。特に頭から胴体への移行部あたりはそっくりで、コンコルドの設計はサギ草を真似たのではないかと思うほどです。
コンコルドは、英仏の共同開発により誕生した夢の旅客機と云われ、パリとニューヨーク間を約 3 時間で飛行して従来の飛行時間を半分ほどに短縮しました。1976 年より運用が開始され、16 台ほどが就航しましたが、2000 年 7 月 25 日にパリのシャルル・ドゴール空港で離陸滑走中に起きた死亡事故（犠牲者 113 人）や、航空需要の低迷により採算性が低いことなどの理由により、2003 年に姿を消しました。しかしそのデザインの美しいことから今でも人気があります。

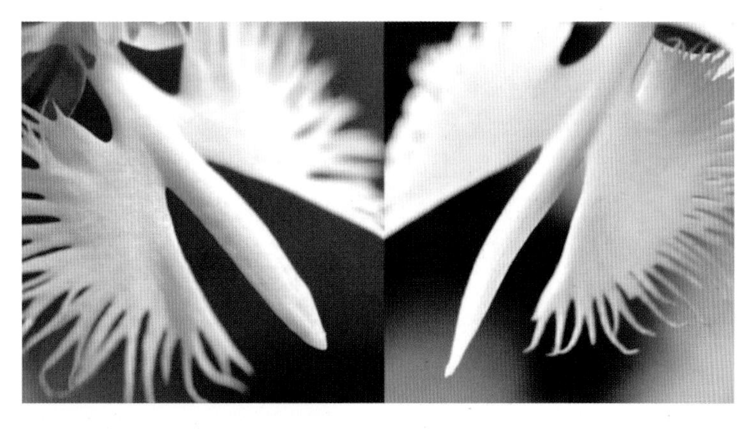

航空機の開発は、1903 年アメリカのライト兄弟による世界初の有人動力飛行により始まりますが、単発のプロペラ機の時代に数々の勇敢な冒険家、いわゆる飛行機野郎が登場します。そのうち最も有名なのは、やはりリンドバーグでしょう。チャールズ・リンドバーグ（1902-74 年）は、アメリカのデトロイトに生まれ、陸軍航空隊で飛行士としての訓練を受け、郵便機の操縦士になります。1927 年、25 歳の時にスピリット・オブ・セントルイス号と名づけたプロペラ機でニューヨーク・パリ間の大西洋単独無着陸飛行に成功しました。飛行距離約 5800km、飛行時間約 33 時間で、単葉単発単座のプロペラ機での成功は世界で初めの快挙でした。リンドバーグはこの成功で世界的な名声を得ますが、5 年後には 2 歳にならない長男が身代金目的で誘拐され殺害されるという痛ましい事件が起こりました。第二次世界大戦の終わった 1953 年、大西洋単独無着陸飛行のことを著わした“The Spirit of St. Louis”（邦訳：翼よ、あれがパリの灯だ）を刊行、翌年ピュリッツァー賞を受賞します。そして 1957 年、映画化されます。監督はビリー・ワイルダー、ジェームズ・スチュアート主演で、タイトルの「翼よ、あれがパリの灯だ」という言葉は有名になりました。
同じ 1957 年、飛行操縦士を主人公にした映画がもう一つ作られています。西ドイツで制作された「撃墜王アフリカの星」（監督：アルフレート・ヴァイデンマン、主演：ヨアヒム・ハンセン）で、第二次世界大戦時のドイツ空軍のエース・パイロット、ハンス・ヨアヒム・マルセイユを描いた作品です。

私は小学校の 3 年か 4 年生の頃、父に連れられて見た覚えがありますが、ストーリーはすっかり忘れていましたので、今回 DVD で 60 年ぶりに見直しました。第二次世界大戦でドイツが敗戦してからまだ 10 年も経っていませんので、映画ではナチスのことが極力表面に出ないような作りになっています。軍服を見てようやくドイツ軍と分かるほどです。兵士たちや家族の会話もフランクで、まるで古き良きアメリカ映画あるいはアメリカの戦争映画を見ているようです。相当気を使って製作されたのではないでしょうか。あらすじは次の通りです。勇敢で桁外れに航空機の操縦術に長けたマルセイユは、100 機以上の敵機を撃墜して数々の勲功をたて、国民的英雄となります。しかし仲間が次々と撃墜されて死んでいき、自分が撃ち落としたために死んでいった敵機の操縦士のことを想うと、自分の任務に疑問を感じるようになります。そして次は自分が撃ち落とされる番だと不安におののきます。それでも結婚して束の間の幸せを得ますが、妻の反対を押し切って北アフリカ戦線へ参加します。編隊を組んで敵地へ向かう途中に、マルセイユの飛行機にトラブルが発生して操縦不能となり、脱出を試みますがパラシュートが機体に引っかかって開かず、そのまま砂漠へ墜落します。

映画「撃墜王アフリカの星」の冒頭の場面より

主題曲「アフリカの星のボレロ」が映画の随所で流れますが、そのやや哀調を帯びたメロディは、戦争の悲惨と哀しみを静かに奏でているようです。第二次世界大戦の映画と云えば、私達の見たものはほとんどアメリカや連合国側から描いたものです。ドイツ兵は、ヒットラー率いるナチズムの厳しい統制の下、誰もが絶対服従で、個性や表情を露わにすることなく黙々と戦う冷徹な兵士として描かれています。敵方であるから仕方ないのでしょうが、しかしこの映画では、ドイツ兵の哀しみや苦悩を描き、平和を希求する家族を描いています。恐らくこれがほんとうの姿なのでしょうが、もしそうであれば、私達としても共感できますし、嬉しくもあります。当時この映画は西ドイツで大ヒットしたそうですが、ヒットラー政権が倒れて少し時間が経過し、ドイツ国民も落ち着きを取り戻して、今まで隠していた本音が描かれているからかも知れません。

もう一人忘れてはならないのが「星の王子様」で有名なサン＝テグジュペリです。アントワーヌ・ド・サン＝テグジュペリは 1900 年フランス、リヨンに生まれ、陸軍飛行部隊で操縦術を学び、民間航空界のパイロットとなります。1929年、29歳の時「南方郵便機」を書いて作家としてもデビューしました。1939 年、第二次世界大戦で召集され、偵察隊へ所属し前線で戦います。翌年ドイツの占領下にあったフランス本土へ戻りますが、アメリカへ亡命します。亡命先のニューヨークから自由フランス軍に志願して戦争に参加、北アフリカ戦線などで戦いますが、航空機の着陸失敗により負傷します。1944 年 7 月 31 日、フランス内陸部の写真撮影のために単機で出撃しますが地中海上空で消息を絶ち、44 歳の生涯を閉じました。著書としては他に、「夜間飛行」「戦う操縦士」「人間の土地」など多数あります。

さらにフランス人の冒険家で飛行士としてアンドレ・ジャピーという人がいます。1936 年パリ-東京間 100 時間の懸賞飛行に飛び立ったジャピーは、佐賀県の上空で乱気流に巻き込まれ背振山中へ墜落します。瀕死のジャピーは地元背振村の人達により救出され、九州大学病院で手術を受けて一命を取りとめます。回復したジャピーは背振村の人々に感謝しながら帰国しました。この話は、その後長い間忘れられていましたが、元 NHK アナウンサーで現在軽井沢朗読館館長の青木裕子さんが、いろいろな資料や言い伝えなどをまとめ、作家の高樹のぶ子さんの監修のもと「アンドレの翼」という朗読劇に仕上げられました。その公演は 2013 年に日仏両国で、翌年には津市も含めた日本の 7 都市で開催されました。日本語の担当は青木裕子さん、フランス語はフランスの女優、ヴァンダ・ベヌさんが担当しましたが、日本語とフランス語の朗読が絶妙のハーモニーを醸し出す素晴らしい朗読会でした。この話をもとにして、高樹のぶ子さんは「オライオン飛行」（講談社）という小説を書かれています。

朗読する青木さんとベヌさん

さて病院の話題です。今回は、当センターの外科部長であり副院長である登内　仁先生に、統合されて新しく生まれ変わった外科の診療活動について概説していただきます。

外科は消化器、乳腺を診療しています。常勤医は 11 人でそのうち 2 人が外科専攻医です。消化器外科学会専門医 8 人、消化器病学会専門医 7 人、大腸肛門病学会専門医 3 人、乳癌学会乳腺専門医 1 人、乳癌学会乳腺認定医 1 人、病理学会病理専門医 1 人と専門性の高い医療を提供しています。

治療対象臓器は食道、胃、肝胆膵、小腸、大腸、肛門、乳房です。統合後は食道がんに対する鏡視下食道摘出術、胃がんに対する完全鏡視下胃全摘術、乳がんに対する乳房形成術、痔核に対するアルタ療法などの手術を新規に開始し良好な成績を収めています。その他腹腔鏡下大腸切除術、腹腔鏡下胆嚢摘出術、腹腔鏡下虫垂切除術、腹腔鏡下鼠径（ソケイ）ヘルニア修復術などもこれまで同様に、術式によってはより改良された方法で実施しています。

当院では病理専門医が常勤しており、がん手術の術中に迅速診断が可能で、乳がんのセンチネルリンパ節生検や胆道がん、膵がん、消化管がんの切除断端の浸潤のチェックが常に可能です。したがって安心してがん手術を受けていただくことができます。また当科では消化器内科と密接な関係を構築しており、ベストな治療を随時相談しています。

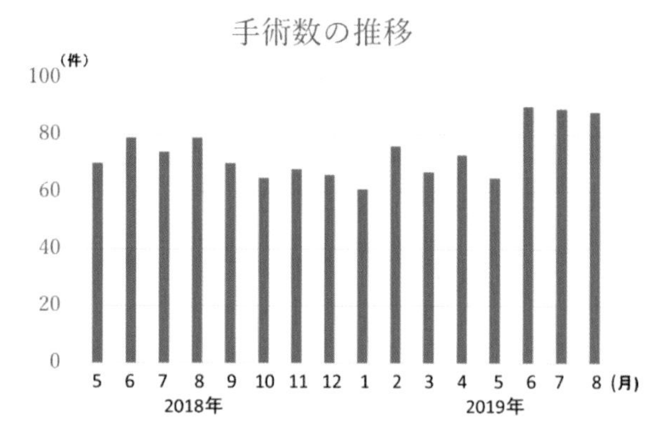

新病院開院後の外科手術数の推移

外科ではがん薬物療法、がん緩和、栄養、褥瘡などに対しても、専門看護師、薬剤師、栄養士と協力してチーム医療を実践しています。例えばがん患者様のターミナル期には医師だけでなく看護、薬剤、栄養の面からサポートしています。救急に関しては救急科と密接に協力して ER 診療にあたっており、ER 経由の手術数も漸増しています。さらに放射線科と診断・治療に関しいつでも相談可能で、的確な画像診断をもとに治療を開始しています。

登内先生がお示しになられましたように、当院の外科は、新病院の開院により東と西医療センターの外科医それぞれ 5 人と 6 人が一緒になって 11 人となり、質量ともに素晴らしい臨床成績を上げています。何が良かったのかと云えば、その一つとして、人数が増えて医師 1 人当たりの負担が軽減されたことが挙げられるのではないでしょうか。例えば救急輪番の外科医としての当直も、両センターが別々に輪番を担当していた頃は、外科医の負担はそれぞれ 1/5、1/6 でしたが、統一後は 1/11 になりました。その分スタッフに余裕ができて、手術、特に緊急手術が増え、いろいろな新しい治療法も試みられ、入院患者数も増えました。すなわち 5+6=11 ではなく、20 にも 30 にもなったことになります。

現在、全国各地の医療圏において、病院の統廃合が盛んに検討されています。「統合のメリットは・・・？」とよく聞かれますが、当院外科での成功は、今後の病院統合の模範になるものと確信しています。

最後に登内先生の言葉です。「今後とも外科一同で地域医療によりいっそう邁進いたします。何卒よろしくお願い申し上げます。」

１０月：ヒレタゴボウ（鰭田牛蒡）

―幸せの黄色いリボン・・・誰を待つ？―

ヒレタゴボウの小さな花。穏やかな黄色にやすらぎを感じます。

この 11 月は、先月とは打って変わって晴天の穏やかな日が続きました。今年猛威を振るった台風も 11 月には 6 個発生したそうですが、日本へ上陸したものは無かったとのことです。やれやれ、11 月は静かに更けゆく秋というところでしたが、私個人的には前月に引き続き憂鬱な日々の連続でした。前号でお話しましたように、10 月は左側の頸、肩、腕へかけての疼痛（頸肩腕症候群というのだそうです）のためにパソコンのキーボードが叩けず、自転車にも乗れないというような日が続きました。一か月半ほど経って痛みが少し治まり、さあ復活！と思っていた矢先、今度は両側のアレルギー性眼瞼炎にかかり、両眼の周囲がバンバンに腫れ上がって、とても人様にお見せすることのできないような顔になってしまいました。庭で植木の枯葉を手入れしていてかぶれたのでしょうか、幸いステロイド軟膏を塗布して 4、5 日で軽快しました。しかしそれも束の間、次は風邪です。11 月最後の週で、発熱と咳で 2 日間完全に寝込んでしまいました。まさに体調不良に悩まされ続けた2か月でした。短期間に次々にいろいろな病気（いずれも重篤なものではありませんが）にかかったことは、今まで余り記憶がありません。よく70歳は体力の曲がり角だと云われます。私も現在70歳、まさしくその通りなのでしょうか。いずれにせよこの2か月間、カメラ片手に自転車に乗り郊外へ出掛けることができませんでした。それで今月の花は、8月下旬から9月頃に撮影した黄色い花、ヒレタゴボウです。「ヒレタゴボウ？」馴染みの薄い方が多いかも知れません。私も数年前まではまったく知りませんでした。3年ほど前、8月の終わり頃だったと思います、いつものように自転車で田園地帯を走っていました。一面たわわに実った稲穂が、黄色い海のように拡がります。まさに稲刈りのシーズン到来です。黄色の大海原をじっくり眺めていますと、田圃の隅っこに稲穂よりもさらに鮮やかな黄色の小さい花が咲いています。しかもあちらこちらにかなりの数、咲いているのです。初めは背丈も小さく隠れるように可愛く咲いていますが、どんどん成長して稲穂の丈をはるかに超えて大きくなっているものもあります。田圃の真ん中で周囲の稲を見下ろすように堂々と屹立しているものもみられます。家へ戻って調べましたら、「ヒレタゴボウ」となっていました。初めて知った名前でした。田圃以外では余り見かけませんから、都市部にお住まいの方にとって出会われる機会はほとんどないと思います。そんな訳で今月は馴染みの薄い花「ヒレタゴボウ」です。

田圃の端の畔の間隙に秘かに咲くヒレタゴボウ

田圃の片端で大きく育ったヒレタゴボウ。稲穂よりもはるかに高く伸びています

ヒレタゴボウは、アカバナ科チョウジタデ属の一年草で、北アメリカ原産の帰化植物、別名を「アメリカミズキンバイ」と云います。1955年に愛媛県松山市で最初に確認され、それ以後関東以西の各地で生育が追認されたとのことですので、日本へ渡来してまだ70年も経っていないのかも知れません。日本にはチョウジタデ（丁字蓼）という在来種があり、タゴボウ（田牛蒡）とも呼ばれています。それによく似た黄色い花を咲かせ、葉の付け根が「ヒレ」のような形になっていますので「ヒレの付いたタゴボウ」から「ヒレタゴボウ」となりました。漢字では鰭田牛蒡と書きますが、鰭（ヒレ）とは魚の「ひれ」のことです。ではそのヒレの部分はどうなっているのでしょうか。右の写真をご覧ください。ヒレタゴボウの茎は4角柱のようになっていて4つの角を稜と云います。葉には、普通の葉のような細い柄はなく、幅広の蝶番（ちょうつがい）のようなもので茎へ連結されています。その連結部の両端が茎の稜に流れるように連なるのですが、その部分がヒレ（鰭）のようにみえるのです。

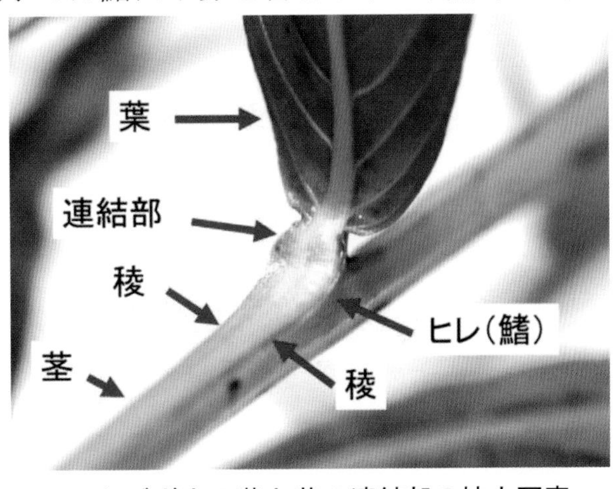

ヒレタゴボウの葉と茎の連結部の拡大写真

ヒレタゴボウの黄色い花は、茎から分かれた枝の先につきます。一本の枝は葉腋（葉の茎への付け根部分）から出ます。

花の大きさは 2.5cm ほどで、チョウジタデの約 8mm と比べると大きく、よく目立ちます。花弁は 4 枚で中央部に「めしべ」「おしべ」があります。面白いのは、花弁と萼片とが互い違いになっていることです（写真左上）。右上の写真は花の中央部を拡大したものですが、黄色の葯を有する「おしべ」が８本、中央に薄黄色のボールのような「めしべ」がみられます。白っぽい小さな糸くずのようなものがたくさん散らばっていますが、花粉でしょうか。

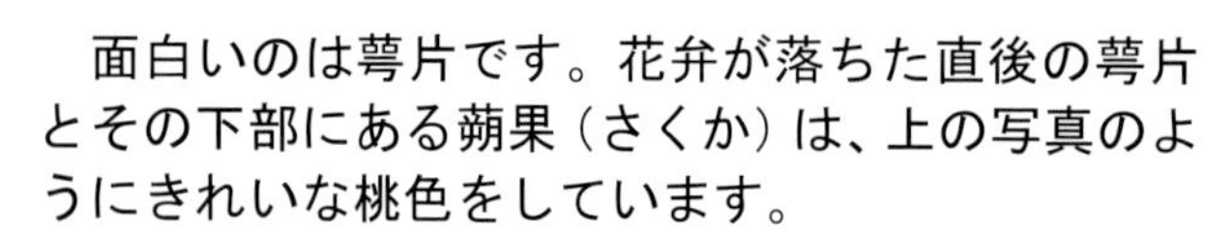
面白いのは萼片です。花弁が落ちた直後の萼片とその下部にある蒴果（さくか）は、上の写真のようにきれいな桃色をしています。

蒴果はやがて成長して、茶色や黒の縦縞のストライプ模様となり、
内部にたくさんの種子が育ちます。

風雨にも強く、台風一過の翌朝、周囲の稲穂はことごとく倒れていますが、
ヒレタゴボウは一人涼しい顔をして黄色い花を咲かせています。

休耕田にヒレタゴボウの黄色い花が咲き乱れています。遠くに上がる野火の煙や、晩夏の陽に映える民家の佇まいは、どこかで見た懐かしい故郷の光景のようです。

黄色は嬉しい色です。子供の頃から好きな色は藍色と黄色でした。少し気分の落ち込んだ時には藍色に、嬉しい時には黄色に魅かれました。黄色は幸福の色でもあります。

私達が中学生から高校生の頃、1960 年代中頃でしょうか、映画の世界では「荒野の七人」「西部開拓史」などをはじめとする西部劇ブームが起こりました。私は熱中し、近所に洋画専門の映画館が 2 館ありましたので足繁く通って、上映された西部劇はほとんど観たと思います。それはいわば第二次西部劇ブームとでも云うべきもので、それよりも 20 年ほど前の（第一次？）西部劇ブームの頃の「駅馬車」「荒野の決闘」「真昼の決闘（ハイ・ヌーン）」「シェーン」などの名画は、リバイバルで上映されましたので、それらもほとんど観ました。まるっきり映画少年、西部劇少年だったのです。

そのなかで「黄色いリボン」と云う映画がありました。1949 年ジョン・フォード監督、ジョン・ウェイン主演で作られた映画で、高齢の騎兵隊大尉が定年退役するまでの最後の 6 日間を静かに描いた作品です。騎兵隊には様々な出来事が起こりますが、その一つひとつを、去りゆく老兵が淡々と語りかけるようにして場面は展開します。映画の中で、髪に黄色いリボンを飾った若い女性（騎兵隊長の姪）が登場します。黄色いリボンの意味するものは、「誰かが無事帰って来ることを待っている」と云うことだそうで、若い兵士たちは「誰を待っているのだろう？」と胸をときめかせながら戦場へ向かいます。映画そのものは今一つでしたが、主題歌である「黄色いリボン」は古くから歌い継がれて来たアメリカ民謡で、ミッチー・ミラー合唱団が歌って世界的に知られるようになりました。同じくミッチー・ミラー合唱団が歌って有名になったアメリカ民謡に「テキサスの黄色いバラ」があります。「黄色いバラ」とは、19 世紀前半テキサスのメキシコからの独立運動で活躍したエミリー・モルガンという実在の混血少女のことだそうです。

アメリカでは木の幹や玄関に黄色いリボンを飾って、愛する人の無事帰還を祈る習慣があるそうです。何時頃から始まったのかはっきりしないそうですが、1979 年に起きたテヘランの米大使館占拠事件では、人質となった夫の無事を祈って妻が樫の木に黄色いリボンを巻き付ける様子がテレビで放映されたそうです。またイラク戦争や湾岸戦争では、出征した夫の無事帰還を祈って玄関に黄色いリボンを飾る家が増えたと云われます。

幸せの黄色いリボン

これらの風習は、古くからアメリカで言い伝えられて来た次の話に由来するそうです。

刑務所を出所した男が故郷の我が家へ帰ろうとしていました。男は出所前に妻へ「もし、まだ自分を待っていてくれるなら、木の幹に黄色いリボンを結んでおいてくれ」と書いて手紙を出していました。男は汽車に乗って故郷の近くまで来ますが、怖くて木を見ることができません。そこで車中で知り合った男に見てもらいますと、木の幹にはたくさんの黄色いリボンが結ばれていました。

この話をもとに、ニューヨーク育ちのジャーナリストで作家でもあるピート・ハミルは1971年「黄色いハンカチ」という短編小説を書きました。また1973年にはアメリカの人気ポップスグループ、ドーンが、「幸せの黄色いリボン (Tie a Yellow Ribbon Round the Ole Oak Tree)」を歌って大ヒットします。この2作では、汽車ではなくバスで帰ることになっていて、ハミルは「ドーンの詞は私の小説を真似たものだ」として法廷へ訴えたそうです。

ハミルの小説を、日本風にアレンジして作られた映画が山田洋次監督の「幸せの黄色いハンカチ」です。1977 年に公開され、高倉健、倍賞千恵子、桃井かおり、武田鉄矢らの素晴らしい演技が好評でした。ラストシーンで、突然、青空の下に夥しい数の黄色いハンカチが風に翻っている光景が現われますが、思わず涙ぐんでしまいました。

たわわに実る稲穂の間で咲くヒレタゴボウ、農家の人たちにとっては稲刈りの邪魔をする、やっかいな雑草かも知れませんが、柔らかな陽の光を浴びて穏やかに微笑む黄色い花を眺めていますと、心がやすらぎ、じんわり幸せを感じます。まさに黄色いリボン、黄色いハンカチなのです。

さて病院の話題です。今回は、改修棟の西病棟7階に新設されました地域包括ケア病棟につきまして、中山均看護部長に概説していただきます。

当院では平成31年4月より西棟7階に地域包括ケア病棟(38床)を開設いたしました。

地域包括ケア病棟とは、在宅医療を重視する厚労省の方針で、急性期病院と在宅医療を直結するために設けられたものです。この病棟では、例えば急性期治療を終了し症状の軽快した患者さんのうち、そのまま在宅や施設へ退院するのは不安だという方に対し、在宅復帰に向けての医療管理や診療、看護、リハビリテーションなどを行うことにより、安心して帰れるようにします。したがって在宅あるいは介護施設に復帰予定の方であれば入院対象となります。入院期間は状態に応じて調整されますが、最長60日が限度となっております。また本病棟に入院中、病状の変化により「集中的治療が必要」

と主治医が判断すれば、一般病棟（急性期病棟）へ転棟する場合もあります。
　現在、地域包括ケア病棟には、看護師 20 名はじめ介護福祉士、看護助手、病棟専従の理学療法士、患者さんの退院支援にあたる相談員などが在籍し、ケアにあたっています。また、寝たまま入浴できる介護浴槽を病棟に完備し、快適に入院生活を　継続していただけるように配慮しております。
　本来ならば一般病棟で症状が安定しますと、そのまま退院をしていただくことになります。しかし入院治療により状態は改善しても、もう少し経過観察をしたい方や、在宅復帰に向けてのリハビリテーションを希望される方、在宅での療養にあたり準備期間が必要な方などに対し、安心して退院していただけるように支援しています。ご希望の方は気軽に主治医にご相談ください。

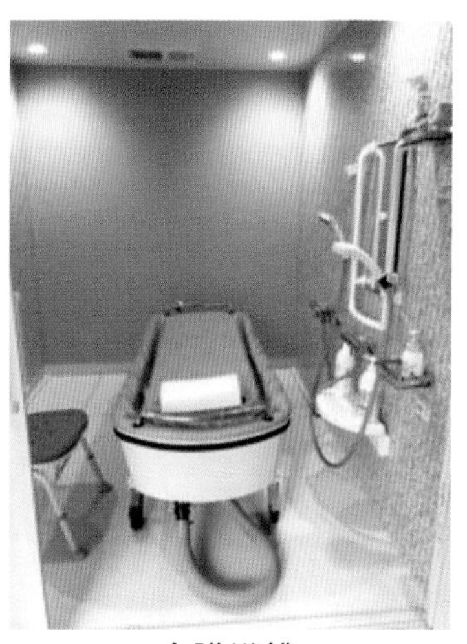
介護浴槽

カンファランスの様子

スタッフの皆さん

１１月：メタセコイア

―生き返った化石の木、住み良いですか？この地球！―

すっかり紅葉したメタセコイア

今年は温かい 12 月です。とても冬とは思えません。年の瀬を迎えて、こんなに暖かくて良いのかと疑問に思います。例年 12 月ともなれば、朝の出勤時にはコートが欠かせないのですが、今年はコートを着ていくべきかどうか迷ってしまいます。地球温暖化という言葉を聞いて久しくなりますが、ほんとうにこんなに暖かくて良いのでしょうか。

折しも地球温暖化について話し合う COP25(第 25 回気候変動枠組条約締約国会議)が 12 月 2 日から 13 日にかけてスペインのマドリードで開催されました。COP とは Conference Of the Parties の略で、地球温暖化を防止するため国際的な枠組みを設定しようとする条約（気候変動枠組条約）に加盟している国々が集まる国際会議です。1995 年に第 1 回会議（COP1）がドイツのベルリンで開催され、それ以後、毎年世界のどこかの都市で開催されています。1997 年の COP3 は京都で開催され、京都議定書が締結されました。2015 年パリで開催された COP21 では、世界の平均気温を産業革命前と比べ 2 度未満の上昇に抑え、できれば 1.5 度未満をめざすというパリ協定が提唱され、気候変動枠組条約に加盟する 196 か国すべてが参加するという画期的なものとなりました。今回の COP25 におけるトピックスは次の３つです。

１）パリ協定の施行がいよいよ 2020 年から始まりますので、各国における対策の細部の調整と、温室効果ガスの削減目標値の引き上げなどについて話合われました。しかし最終的な合意には至らなかったようです。また周知のごとくアメリカのトランプ大統領はパリ協定からの離脱を宣言しており、これからの成り行きが注目されます。

２）今回特に注目されたのは、スウェーデンの 16 歳の女性活動家、グレタ・トゥーンベリさんをはじめとする多数の若い人達が会場に駆け付けたことです。地球温暖化の影響を最も深刻に受けるのは、私たちや次の世代よりも、今の 20 代以下の若い人達でしょう。トゥーンベリさんは、将来の地球環境に強い危機感を抱き、自分達の問題として切実に捉え、15 歳の頃からスウェーデン本国はもとより世界各国に向けて、気候変動に対しもっと強力な対策を取るように強く訴えて来ました。その力強い演説は、世界中の若者の大きな共感を呼び、若い大きな潮流となって大人の世界に訴えかけています。

トゥーンベリさんの演説は少し過激すぎる感もありますが、このように世界中の若者が心一つになって訴えかける運動は、今まであったでしょうか。願わくは最後まで暴力に訴えないことです。私たちの世代の学生運動も、昨年の香港での反政府運動でも、最後は暴力沙汰になりました。

またトゥーンベリさんは、自らも二酸化炭素などの排出を抑えたライフスタイルを実践しており、COP25 に参加した時もアメリカからスペインまでヨットで駆け付けたとのことです。

３）もう一つの話題は、日本が化石賞という不名誉な賞を受けたことです。これは、地球温暖化問題に取り組む世界 120 か国の 1300 を超える NGO 団体のネットワーク、CAN インターナショナルが、地球温暖化に対し姿勢が後向きの国に授与するものです。パリ協定の目標である、世界の平均気温の上昇を産業革命前に比べ 1.5 度未満に抑えるためには、2050 年までに温室効果ガスの排出を実質ゼロにしなければならないそうです。しかし日本は、今後のエネルギー政策として、温室効果ガスの産出量の多い石炭火力発電を選択肢の一つに残し、今後も開発を進めようとしており、その日本の姿勢が強く批判されたのです。

とにかく地球温暖化は確実に進んでおり、一刻も早く温室効果ガスの排出を減らさなければならないことは間違いないでしょう。

それにしてもほんとうに暖かい今年の 12 月、そこで桑名市において毎日の最高気温と最低気温（日最高気温と日最低気温）は平年に比べどうなっているか、調べてみました。下のグラフをご覧ください。日最高気温（桃色）も日最低気温（青）も、点線で示した平年値と比べ全般的に高いことが分かります。間違いなく今年の 12 月の気温は高いのですが、最低気温の高いことに大きな影響を受けるのは紅葉です。私たちの子供の頃は、紅葉は 11 月中旬から下旬にかけて見頃を迎えたように記憶していますが、最近では 12 月に入ってからピークになるという所もかなりあるようです。一般に紅葉は、最低気温が 10 度から 8 度ぐらいまで下がると始まり、5 度を下回ると急速に進みます。グラフの中の赤い直線は 5 度を示しますが、平年であれば 12 月の最低気温は 5 度前後で始まり、中旬、下旬と進むにつれ直線的に低下していきますが、今年は下旬になっても 5 度を上回る日がかなりみられます。したがって今年の紅葉は、始まってもなかなかピークにならない、不完全のまま長く続いた、そんな感じがします。

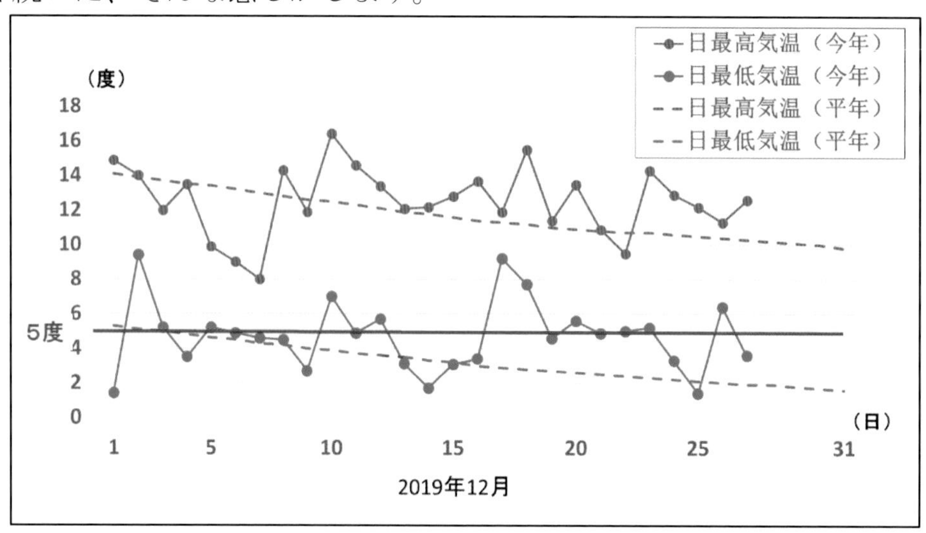

桑名市における今年 12 月の毎日の最高気温と最低気温の平年との比較
（気象庁の資料より作成）

さて今月の植物は、その紅葉の美しいメタセコイアです。数年前から写真を撮り続けていて、今年こそ本稿で取り上げようと思い、11 月中頃から自宅の近所にある数本のメタセコイアの木に目をつけ、毎日眺めては紅葉するのを待っていました。しかし少し色付いただけでなかなか紅くなりません。最低気温の高いためだと思いますが、それでも緩やかながら紅葉は進み、12 月中旬になってようやくピークに達しました。その時に撮影したのが冒頭の写真です。メタセコイアと云えば、滋賀県高島市のメタセコイア並木が有名で、ほんとうは行きたかったのですが時間が取れず、仕方なしに近所のメタセコイアの写真になってしまいました。下の写真は、津市西部の青山高原に立つメタセコイア並木です。紅葉の盛りにはまだ少し早いようですが、美しい円錐形の樹形が青空によく映えています。後方にある民家と比べますと、その高さが分かります。

メタセコイアは、スギ科、メタセコイア属の植物で「生きた化石」とも云われます。今から2億年から2300万年前頃（中生代ジュラ紀から新生代古第三紀）に繁栄したセコイアと呼ばれる古代植物の仲間です。和名はアケボノスギです。

セコイアの仲間のうち現生するものとして有名なのが、北米西海岸のオレゴン州からカリフォルニア州の海岸近くの山地に自生するセコイア・センペルビレンス（スギ科、セコイア属）です。センペルビレンスとはラテン語で「常緑」という意味で、一般にはセンペルセコイアあるいは単にセコイアと略されます。樹皮が赤いためレッドウッドとも呼ばれます。巨木となることで知られ、カルフォルニア州のレッドウッド国立公園には、樹高100メートル、直径10メートルを超える世界一の巨木があります。大きな立木の根元をくり抜いて自動車の通れるトンネルを作り、来訪者を楽しませています。

青山高原のメタセコイア

センペルセコイアの巨木の幹に
掘られたトンネル
（レッドウッド国立公園）

レッドヒルヒーサーの森（赤塚植物園）

他によく似た植物として、ラクウショウ（スギ科、ヌマスギ属）があります。沼地などに生育するためヌマスギ（沼杉）とも呼ばれ、メタセコイアと同じように紅葉します。

それでは、メタセコイアとセンペルセコイア、どこに違いがあるのでしょうか。まずメタセコイアは紅葉しますが、センペルセコイアは名前に示される通り常緑です。またメタセコイアでは小枝は枝から左右対称に出る対性であるのに対し、センペルセコイアでは互い違いに出る互生です。

メタセコイア（紅葉、小枝は対生）

センペルセコイア（常緑、小枝は互生）

小枝より左右に出る葉を較べれば、メタセコイアの対生、センペルセコイアの互生の違いは、さらによく分かります。一方、ラクウショウの葉はセンペルセコイアと同じ互生ですが、メタセコイアのように紅葉します。

メタセコイアの葉（対性）

センペルセコイアの葉（互生）

またセンペルセコイアは常緑で越冬するため、小枝の先端に冬芽（とうが）が現れます。

センペルセコイアの冬芽

冬芽の拡大写真

メタセコイアは「生きた化石」と云われますが、それは次のようなエピソードに由来します。戦前の話ですが、大阪市立大学教授の三木茂博士は、日本各地の新生代の地層から多数出土するセコイア類の化石を詳細に比較研究しました。そして昭和 16 年、岐阜県土岐（とき）市の粘土層から、センペルセコイアやラクウショウとは少し形態の異なった植物の化石を発見します。それは葉の付き方が互生ではなく対性で、果鱗の形も異なるもので、従来のセコイアではなく「少し変わったセコイア」の意味で、「メタセコイア」と名付けられました。既に絶滅したものと考えられていましたが、三木博士の発表から4年後の昭和20年、その植物が中国の河北省や四川省で実際に生きているのが発見されました。しかも化石にみられる特徴がそのまま確認されたことから、「生きた化石」として一躍有名になりました。当時日本は戦後の混乱期にあり、「日本人が化石で発見した植物が、実際に生きていた」と世界中を驚かせました。

中国河北省で最初に発見されたメタセコイア（文献１より引用）

現地を調査して種子を採集した米国の古生物学者は、三木博士が大阪市立大に設置した保存会へ苗木100本を贈りました。贈られた苗木は、日本各地の大学や研究所へ配布された後、挿し木で増やして希望者に配布されました。成長が早く、新緑、紅葉ともに円錐形の樹形が美しいため、街路樹や公園の樹木などとして全国に広まりました。

旧三重県立博物館でも昭和 28 年に三木博士から 2 本、翌年には農林省林業試験場から 3 本を譲り受けて正面玄関前に並べて植え、長年シンボルツリーとして市民に親しまれて来ました。現在は 8 本になっていますが、樹間が狭すぎるためか枝が短く切り払われ、トーテムポールのような気の毒な樹形になっています。

旧三重県立博物館前に立つメタセコイア

枝が短く切られています

トーテムポールが並んでいるようです

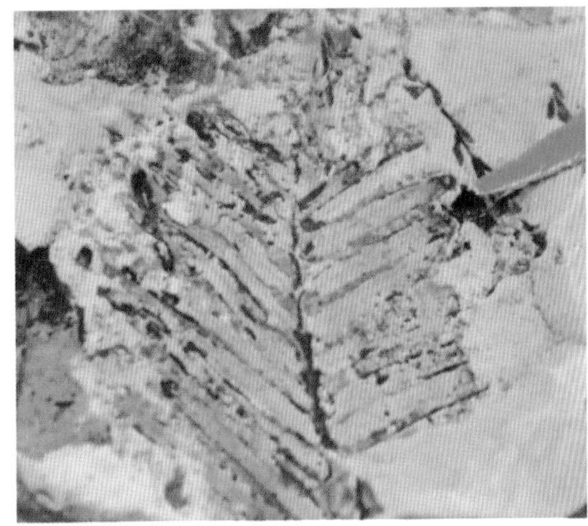

上の写真は、現在の三重県立総合博物館（MieMu）に所蔵されているメタセコイアの化石です。いなべ市北勢町でみつかったもので、700 万年から 200 万年前頃の化石だそうですが、葉の付き方が対性となっていることがよく分かります（博物館の方のご厚意により撮影させていただきました）。

夕陽を浴びて輝くメタセコイア

さて病院の話題です。今回は 2019 年 6 月の「理事長の部屋：あざみ」で紹介致しました卓球珈琲（カフェ）の活動について報告致します。卓球珈琲とは、卓球とコーヒーを通じて地域住民の健康増進とコミュニケーションの活性化を図ろうとする運動で、桑名市、桑名市総合医療センター、桑名市医師会、卓球で日本を元気にする会、ネスレ日本、朝日エルなどが共同して行っています。その第 1 回プログラムが、9 月から 11 月までの 3 か月間、桑名市城南まちづくり拠点施設において実施されました。参加者は 17 名（男性 4 名、女性 13 名）で、年齢は 50 代～80 代（平均年齢 66.3 歳）、70 代の方が 9 名と半数以上を占めました。参加者には、プログラムの開始前後に、血糖やコレステロールなどの血液検査、血圧、体水分量などの測定を行い、精神面に関するアンケート調査も行って、その変化を調べました。参加者の皆さんには毎日適度に卓球を楽しんでいただきながら、月 2 回専門のインストラクターによる卓球指導と、糖尿病専門医などによる月 1 回のヘルスケア教室を受けていただきました。また休憩時間には、ネスレ日本の提供によるコーヒーサーバーを囲んで寛いでいただきました。そうして 3 か月が経過しましたので、その結果を簡単に紹介致します。

1）血液検査では中性脂肪や悪玉（LDL）コレステロール値の低下する傾向がみられた。
2）細胞外水分比の減少がみられ、体の中の水分均衡が改善しているものと考えられた。
3）体の痛みが減少し、活力が上昇して、日常生活での身体機能の改善が顕著であった。
4）「明るく楽しい気分で過ごせた」「落ち着いたリラックスした気分で過ごせた」「意欲的で活動的に過ごした」「ぐっすりと休めて気持ちよく目覚めた」「日常生活の中に興味のあることがたくさんあった」など、精神面での改善が顕著であった。
5）地域への愛着という点では全般的に改善がみられたが、特に男性において「地域をもっとよくしたい」「地域の中に生きがいがある」「地域に誇りを感じる」「地域に挨拶できる人がいる」など、地域に対する愛着度が増大した。

ヘルスケア教室

コーヒーサーバー

地域における高齢者の孤立は大きな社会問題であり、特に男性において深刻ですが、卓球珈琲を通じて少しでも改善できる可能性があると思われました。そして何よりも素晴らしかったことは、終了式において参加者全員が実に仲良く和気藹々として、楽しそうにしていたことです。その様子を拝見しただけでも、このプログラムを行った甲斐があったと確信しました。

今後は、城南地区では引き続きプログラムを継続して住民の皆さんの健康増進をめざし、来年度からは桑名市内の他の地域へも活動を拡げていきたいと念願しております。

これからもどうぞよろしくお願い致します。

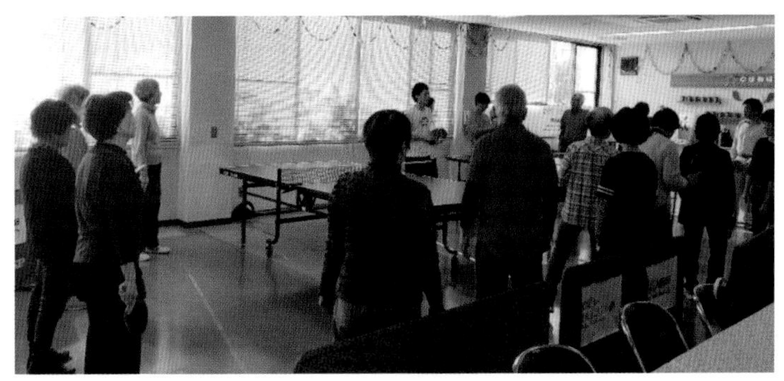
インストラクターからの説明を聞く参加者の皆さん

文献１）塚原　実（大阪市立自然史博物館）：メタセコイアの発見と普及―三木　茂博士の発見から75年―　化石 100, 1-2, 2016.

１２月：暖冬

―原因は、北極が揺れ動くから？―

暖冬のせいでしょか、川の堤を埋め尽くす「すすき」の枯葉も赤く輝いて見えます。

12 月は暖冬と書きましたが、年が明けて 1 月になっても暖冬に拍車がかかるばかりです。気象庁は、2019 年の年平均気温は日本では過去最高、世界でも過去 2 番目に高くなると発表しました。三重県内の 1 月の平均気温も各地で例年より 3 度ほど高くなり、すべての観測地点で観測史上最も高くなりました。津市では 8. 3 度で 130 年前に観測を開始して以来最高だったそうです。また名古屋や岐阜での初雪も今年は 2 月 10 日で、統計開始以来最も遅く、今まで初雪の最も遅かった 1901 年 1 月 21 日の記録を 119 年ぶりに書き換えました。何もかも記録ずくめの暖冬、ほんとうにこのままで良いのかなと思います。西高東低の冬型の気圧配置が長く続かなかったことや、寒気が東海地方まで南下しなかったからですが、やはり地球温暖化の影響も大きいでしょう。

もう一つ暖冬をもたらした原因に北極振動（Arctic Oscillation: AO）という気候現象があります。1998 年に提唱されたものですが、北極と北半球中緯度地域の気圧が相反して変動することで、北極の気圧が高いと北半球中緯度地帯の気圧は低くなります。この時、北極の寒気は南下して日本などは寒冬となります。これを負の北極振動と呼びます。逆に北極の気圧が低いと中緯度地帯の気圧が高くなって寒気は南下し難くなり暖冬になります。これを正の北極振動と云います。

北極振動	気圧		寒気の南下	冬の気温
	北極	北半球中緯度		
正	低	高	し難い	暖冬
負	高	低	し易い	寒冬

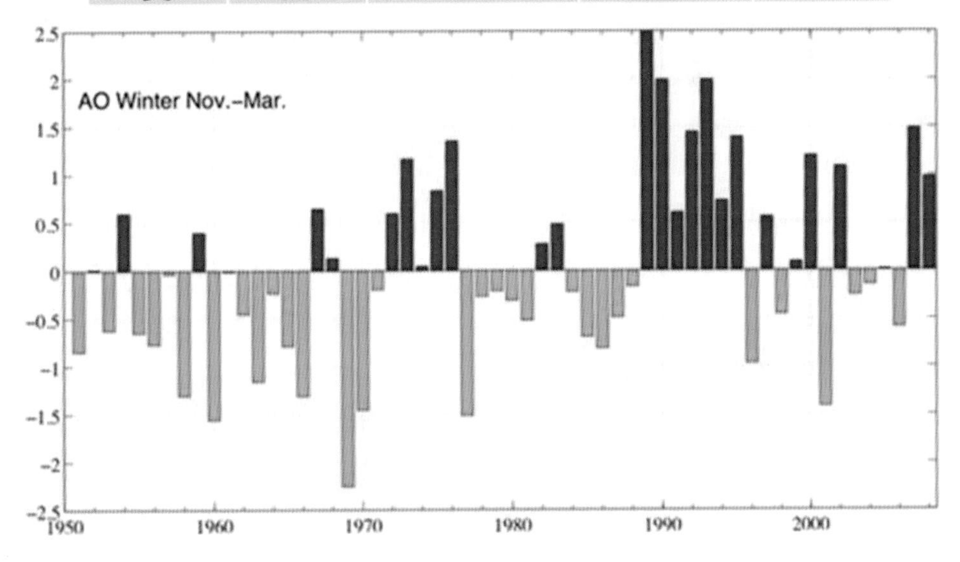

冬季における北極振動の年次推移（Global Warming Scienceより引用）

上図は 1950 年から 2008 年までの冬季における北極変動を調べたものです。上向きの赤いバーが正の北極振動、青色の下向きのバーが負の北極振動です。例えば 1990 年代は正の北極振動を示す年が多く、暖冬が続いたそうです。一方、1950 年代から 1970 年代初めにかけては負の北極振動の年が多く、寒い冬が多かったと云われます。北極振動には周期性があり、太陽の黒点活動が影響するとも云われます。今年は、地球温暖化に加えて正の北極振動であったため、記録破りの暖冬になったのでしょう。地球温暖化が進みますと、空気中の水蒸気量が増え、雨が降れば大雨になり、極端な高温にもなると云われます。台風も数は減少しますが、規模は増強するというシミュレーションもあります。したがって暖冬の今年、夏には大雨や台風による被害が大きくなることが危惧されます。

冬の昼下がり、赤い枯草に覆われた長い川堤に「すすき」の穂が群れ、
傾きかけた陽を浴びて白く輝きます。新緑の麦畑も渋い光沢を放ちます。

冬とは思えない賑やかな川原。大きな株となって白く長い穂をなびかせているのは、パンパスグラスでしょうか？

白く長い穂が、午後の光に透けて美しく輝きます。

枯れすすきの群に沈んでゆく夕陽。枯葉の底から顔を覗かせ、
「明日も良い天気になりますように・・・」。

樹々のシルエットを浮かび上がらせながら、遠い林の向こうへ消えていく夕陽。
水墨画をみるようです。

お陽様は、夕方から空一面に拡がった冬の雲に隠れたままでしたが、山の端に沈む直前、忽然と大きな明るい顔を見せてくれました。思いがけないお出ましに、すっかり嬉しくなって夢中でシャッターを押しました。

薄暮の中、満月が出て来ました。本来なら寒月と云うべきなのでしょうが、冷え切らない空気のせいか、春先の月のように艶っぽく見えます。そういえば今年は、名古屋や岐阜だけでなく伊勢でも、まだ本格的な降雪をみません。

雪

三好達治

太郎を眠らせ、太郎の屋根に雪ふりつむ。

次郎を眠らせ、次郎の屋根に雪ふりつむ。

雪のしんしん降る冬の夜は嬉しいものです。静かに降り積もる雪。布団へ潜り込んで、その気配に耳を澄ませていますと、心懐かしくなり、幼い頃や若い頃の思い出が蘇って来ます。楽しかった事や、やさしかった家族、友人たちの笑顔が走馬燈のように駆け巡り、繰り返し現れては消え、やがて何時の間にか寝入ってしまいます。

翌朝目が覚めますと、窓のカーテンの隙間から明るい朝陽が射しこんでいます。勢いよく開けますと、眼前に拡がる白銀の世界。「世の中はこんなに美しかったのか・・・！」と今更ながら驚かされます。今年はそんな光景に出会うことは、もう無いのでしょうか。

皮肉にも立春を迎えて、ようやく冬らしくなり寒くなって来ました。世の中では新型コロナウイルス感染症の勢いが止まらず騒然となっています。一日も早く終息することを祈っています。そうこうするうちに待望の初雪です。2月6日の朝、西の山がうっすら白くなりました。

田圃では、麦の若芽が元気よく育っています。麦の植えられていない田圃には、
ていねいに耕された土が柔らかく輝きます。暖冬であろうがなかろうが、
春はもうすぐやって来ます。今年も豊作であること間違いなしです。

記録ずくめの暖冬の後、今年の夏は、昨年の台風 19 号のように、台風や大雨の被害が激甚化することが危惧されます。また今後 30 年のうちに 70%以上の確率で発生すると云われる南海トラフ地震が何時起こるかも知れません。このような状況下にあって、私たち医療人としても手をこまねいて傍観している訳にはいきません。何らかの対策を打たねば・・・と常日頃思っています。

BCP という言葉をお聞きになられたことがあると思います。事業継続計画（BCP: Business continuity planning）の略で、企業などの事業体は、災害発生時に、自らの損害を最小限に食い止め、いかにして事業を継続し、早急に復旧を図るか、その計画を立てることが、法律により義務付けられています。医療機関や介護施設などにおいても同じで、いつ、どこで、どのような災害が起こっても、地域住民を守るために必要な医療や介護をどれぐらい継続できるか、その計画を策定せねばなりません。しかし全国の医療機関における BCP 策定率は非常に低く、平均で 30%程度です。三重県でも同様で、令和元年 9 月末の時点で 90 余の病院のうち 30 施設しか策定が終わっていません。策定の済んだ病院の多くは災害拠点病院で、それ以外の病院ではほとんど進んでいないのが実情です。国も県も、これを 100%にしたいと望んでいます。当然のことと思います。実は私は現在、三重県病院協会理事長を拝命致しておりまして、県の担当の方から「県内の病院 BCP 作成率を 100%にしたいのだが、力を貸してくれないか？」と相談を受けました。私も当然そうあるべきだと思っていましたので二つ返事でお引き受けし、災害工学がご専門の三重大学工学部川口淳准教授にも協力をお願いしました。そして三重県、三重大工学部、三重県病院協会が力を合わせて、どこまでやれるか分からないが、とにかくやってみようということになりました。目標は、あくまでも県内病院の BCP 策定率 100%です。

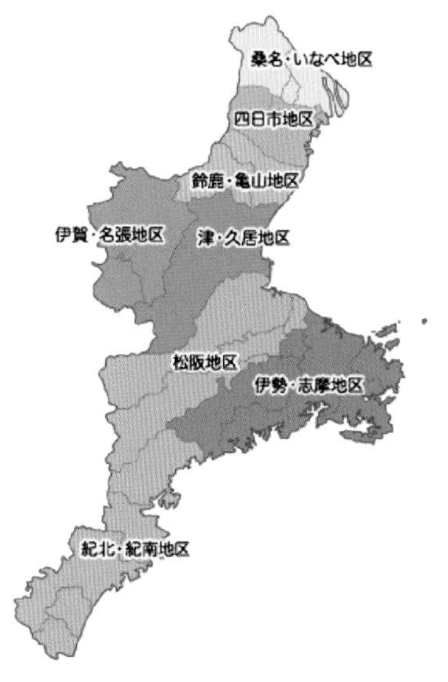

三重県における８医療圏

実際に災害が発生した場合、地域全体としての医療を継続するためには、各医療機関がどのように役割を分担し、協力体制を組むかと云うことが大切です。しかし既に策定されている BCP の多くは、各施設が独自に作成し他の医療機関との連携については余り考慮されていませんので、災害発生時に十分機能する協力体制がとれるか疑問視されます。そこで病院 BCP を作成する際、その病院の規模や専門性を考慮して BCP の内容を調整し、想定される災害の規模や状況に応じて他の医療機関との協力体制や役割分担を盛り込んでいけば、真に地域医療を継続できる災害対策が出来上がるものと期待されます。

現在三重県では県内を 8 医療圏に分け、それぞれに所属する病院や診療所などが年に数回集まって将来構想会議を開き、その地域の医療体制は将来どうあるべきか、と云う重要な課題について熱心な討議が行われています。そこでその 8 医療圏ごとに病院の防災担当者に集まっていただき、川口先生や県の担当者の指導のもとに、BCP 作成のための講習会やワークショップを数回開催します。BCP 作成手順に沿って段階的に作業を進めることにより、各病院に最低限必要な BCP が出来上がります。この作業を各医療圏の病院が一緒になって協力してやって行こうということになりました。

まず病院の規模を以下の 3 つに分類し、それぞれの役割を定めます。

グレード３：総合病院、災害拠点病院
入院患者を守る、傷病者に対応する
他院からの入院患者を受け入れる

グレード２：中規模病院、専門病院
入院患者を守る、傷病者に対応する

グレード１：小規模病院、専門病院
入院患者と職員を守る

県内 8 医療圏におけるグレード別の病院数を右表に示します。地域ごとにこれらの病院が協力し、それぞれの病院が現有する施設や設備をもとに BCP を策定します。

	グレード			
	3	2	1	合計
桑名･いなべ	3	6	6	15
四日市	4	6	4	14
鈴鹿･亀山	3	3	6	12
津	2	11	9	22
伊賀	2	1	3	6
松阪	3	2	5	10
伊勢志摩	3	4	2	9
東紀州	2	1	2	5
			合計	93

次に様々な被害を想定します。例えば浸水 3m の被害が発生したとします。右図で薄橙色の枠で囲んだ海沿いの病院では機能が停止します。そこで残った病院が、どのように役割分担し協力体制をとれば、少しでも地域医療を維持することができるか検討します。こうして、どのような被害が生じても、残った病院の機能をフルに結集して、地域医療を守るための対策を練ります。

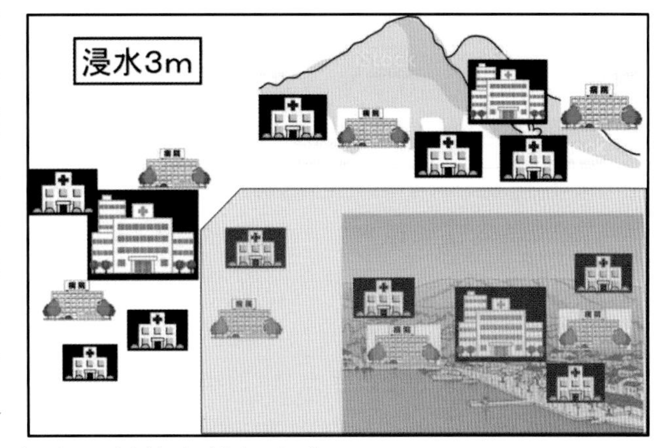

桑名・いなべ地区では、モデル地区として昨年 7 月より BCP 作成のための講習会やワークショップを開催し、既に 4 回終了しました。今年度中にはすべての病院の BCP を策定する予定で、さらに来年度には診療所や介護施設、行政との協力についても検討していきたいと思っています。また伊賀地区や東紀州地区でも活動が始まり、4 月以降は県内すべての医療圏に拡げることをめざしています。このように医療圏単位で所属病院が力を合わせて BCP 策定を行っているのは三重県だけで、独自の取組です。

これがうまく行けば、地域医療を守るための災害対策が全県挙げて出来上がります。その日を夢見て頑張りますので、どうぞよろしくお願い致します。

桑名・いなべ地区の講習会風景

著者略歴
・竹田　寛（たけだ かん）
昭和 24 年 1 月 10 日生、
昭和 50 年三重県立大学医学部卒業、
平成 9 年三重大学医学部放射線科教授に就任、
平成 21 年より三重大学医学部付属病院長、
平成 25 年より桑名市総合医療センター理事長 兼 総括病院長

・竹田恭子（たけだ きょうこ）
昭和 23 年 9 月 27 日生、
昭和 47 年武蔵野美術大学卒業

続続・理事長の部屋から

発行日　2020 年 7 月 20 日
著　者　　竹田　寛
挿　絵　　竹田恭子
発行所　　三重大学出版会
〒514-8507　津市栗真町屋町 1577
三重大学総合研究棟Ⅱ　3F
Tel/Fax　059-232-1356
社　長　　濱　森太郎
印刷所　　モリモト印刷株式会社
〒162-0813　東京都新宿区東五軒町 3-19

ISBN978-4-903866-54-3　C0076　¥2,720E